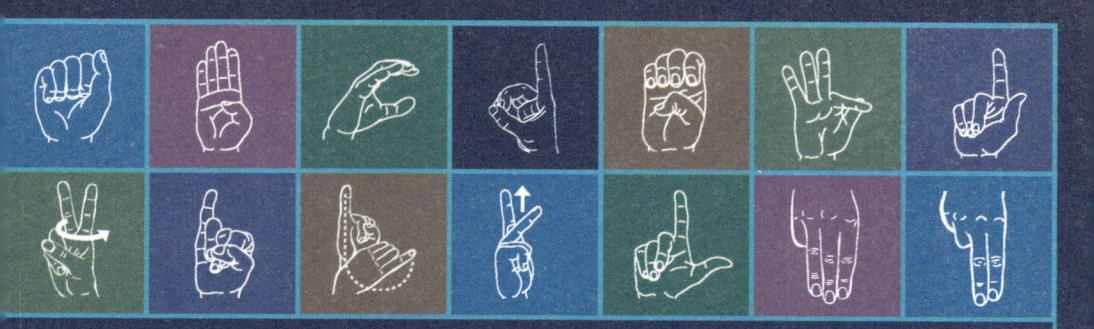

O GRANDE LIVRO DE
LIBRAS
LÍNGUA BRASILEIRA DE SINAIS
PROJETOS ESCOLARES

ATIVIDADES PARA TRABALHAR A LÍNGUA DE SINAIS

Camelot
EDITORA

CONHEÇA NOSSOS LIVROS
ACESSANDO AQUI

Copyright desta produção © IBC - Instituto Brasileiro De Cultura, 2021

Reservados todos os direitos desta tradução e produção, pela lei 9.610 de 19.2.1998.

5ª Impressão 2024

Presidente: Paulo Roberto Houch
MTB 0083982/SP

Coordenação Editorial: Priscilla Sipans
Coordenação de Arte: Rubens Martim
Diagramação: Renato Darim
Ilustrações: Arlete Scantamburlo e Mônica Fuchshuber
Adaptação das ilustrações: ESA - Escola Studio de Artes
Conteúdo dos Projetos: Izildinha Houch Micheski
Consultoria: Roberto Cardoso
Textos: Roberta Bencini e Paula Caires

Vendas: Tel.: (11) 3393-7727 (comercial2@editoraonline.com.br)

Foi feito o depósito legal.

Dados Internacionais de Catalogação na Publicação (CIP)
(eDOC BRASIL, Belo Horizonte/MG)

S618g

Sipans, Priscila.
    O grande livro de libras: atividades para trabalhar a língua de sinais / Priscila Sipans, Izildinha Houch. – Barueri, SP: Camelot, 2021.
        15,5 x 23 cm

        ISBN 978-65-87817-42-2

        1. Alfabetização. 2. Língua brasileira de sinais. I. Houch, Izildinha. II. Título.

                              CDD 419

Elaborado por Maurício Amormino Júnior – CRB6/2422

IBC — Instituto Brasileiro de Cultura LTDA
CNPJ 04.207.648/0001-94
Avenida Juruá, 762 — Alphaville Industrial
CEP. 06455-010 — Barueri/SP
www.editoraonline.com.br

SUMÁRIO

IDENTIDADE

Imagem: Shutterstock

Meu lugar no mundo

Trabalhe a autonomia e a identificação do próprio nome com atividades divertidas, como jogo da memória e caça ao tesouro

O surgimento da LIBRAS deu uma "nova conquista" aos surdos. Antes disso, os deficientes auditivos e surdos eram vistos, na maioria das vezes, como seres incapazes de se relacionar e considerados inferiores às outras pessoas.

Hoje sabe-se que o surdo pode sim falar, se expressar, trocar ideias e até discursar, como qualquer cidadão. O que muda é a modalidade, própria e peculiar, que une a todos com a mesma característica: a surdez.

Roberto Cardoso, intérprete da língua de sinais e formador da LIBRAS na rede de ensino, explica que a dificuldade de se comunicar com os pais – ele afirma que a maioria dos surdos vive com pai e mãe ouvintes – é uma experiência comum, muito forte e marcante. "Quando um surdo descobre outro surdo e uma nova maneira de comunicação, descobre também sua identidade. Ele deixa para trás a experiência do isolamento e da exclusão, que começa em casa, e reconhece um novo lugar no mundo", diz o formador.

Em outras palavras, a construção da identidade se dá na interação e na comunicação com o outro. A troca é uma oportunidade de interagir, "de sair da concha", e vivenciar novas experiências. Assim, língua e conhecimento andam juntos e são determinantes para a cidadania do surdo.

A seguir, veja nesse projeto algumas sugestões para apresentar a língua de sinais à turma. Aprender o próprio nome em outra língua e participar de um divertido jogo incentiva a comunicação dos alunos e aproxima as duas culturas.

Eixos temáticos: Natureza e Sociedade, LIBRAS, Linguagens Oral e Escrita, Movimento, Matemática
Responsável: Izildinha Houch Micheski
Objetivo: trabalhar identidade, autonomia, nome próprio e a familiarização com os nomes dos amigos
Idade: a partir de 3 anos

Ilustração: Shutterstock

Meu nome

Materiais: alfabeto dactilológico (pronto na seção "Encartes"); canetinhas coloridas; papel kraft.

Encartes:

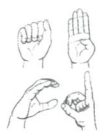

Colocando em prática

Inicie o projeto ensinando o alfabeto dactilológico, mostrando aos alunos a posição da mão e dos dedos para cada letra apresentada. Lembre-se de observar e respeitar a singularidade de cada criança. Considere que uns podem apresentar mais habilidade, outros vão necessitar de brincadeiras que trabalhem os movimentos dos dedos, levando em conta casos de crianças com dedinhos mais curtos e gordinhos ou ainda outras particularidades.

Os alunos vão desenvolver os movimentos diferenciados que definem o "jeito" de cada um, relacionando, a princípio, com a primeira letra do seu nome, partindo da construção da lista com a escrita coletiva dos nomes expostos em forma de cartaz ou na lousa.

Incentive a interação entre as crianças, principalmente se puderem contar com a presença de coleguinhas surdos que tenham familiaridade com a LIBRAS e possam multiplicar esses conhecimentos.

De quem é esse crachá?

Desenvolvimento

As cartelas com os nomes no alfabeto dactilológico podem ter outra utilidade pedagógica. Faça dois furos na extremidade superior dos cartões e passe um barbante, para confeccionar os crachás das crianças. Coloque-os em uma caixa e reúna a turma para a atividade. Organize os alunos em círculo e peça que cada um retire um crachá de dentro da caixa, que deve estar disposta no centro da roda. Oriente-os a se levantarem e circularem pelo ambiente para procurar os donos dos crachás sorteados por eles. Quando encontrarem o amiguinho cujo nome aparece em seu crachá, devem pendurá-lo em seu pescoço.

Se o grupo ainda não estiver bem integrado, prepare crachás com a foto e o nome de cada aluno, para que eles usem na realização da dinâmica. Para promover a socialização, inicie esse processo com a utilização dos crachás com fotos e, após uma semana, realize a atividade apenas com aqueles em que aparecem os nomes no alfabeto dactilológico.

Ampliação

Aproveite sua criatividade e elabore novas atividades com a multiplicação desse material. Faça ditado de palavras com o alfabeto dactilológico, executando os sinais com as mãos, brincadeiras de adivinhação, etiquetar o nome dos objetos, etc.

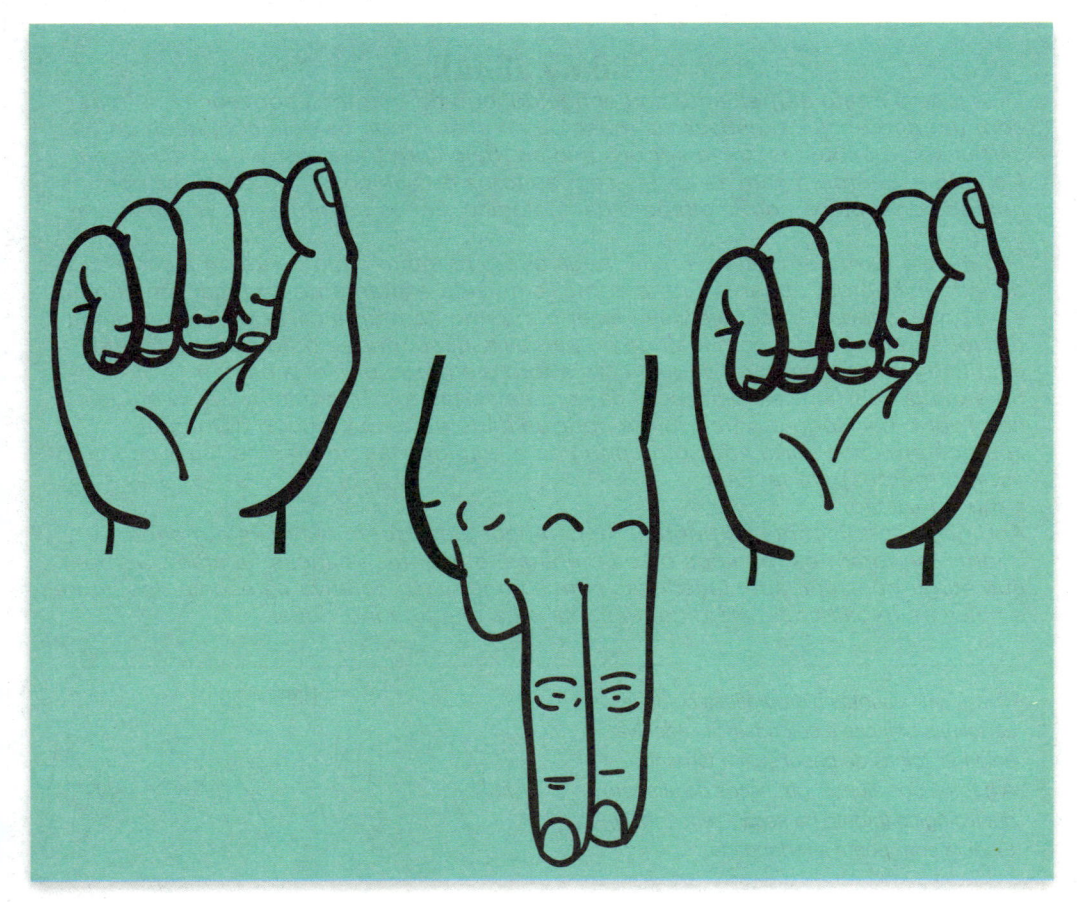

Jogo da memória

Desenvolvimento

Para preparar o jogo da memória, confeccione cartinhas em cartolina de 8 x 10 cm e multiplique-as de acordo com o número de crianças. Faça cópias das fotos existentes nos prontuários da secretaria da escola e fixe-as em uma única folha de papel sulfite. Recorte-as e cole-as sobre as cartelas, do lado esquerdo superior. Escreva o nome de cada um em letra bastão. Providencie a mesma quantidade de cartinhas em cor diferente, multiplique os encartes com as letras no alfabeto dactilológico quantas vezes forem necessárias e cole sobre as cartelas, seguindo a ordem correspondente às letras que aparecem em cada nome na língua portuguesa.

LAURA

COMO JOGAR

Esse jogo é muito semelhante ao conhecido jogo de memória convencional, mas com um diferencial: o espaço na mesa ou no chão, onde os dois conjuntos de cartas serão expostos, deve ser dividido ao meio com fita adesiva colorida ou giz. No lado esquerdo, ficam as cartas com as fotos dos alunos e, do outro, as com os nomes construídos com o alfabeto dactilológico. Todas devem estar viradas para baixo.

Organize a turma em pares. Então, peça que o primeiro a jogar vire uma carta do lado esquerdo, observe foto e nome, e deixe-a exatamente no lugar em que está posicionada. Então, ele deve fazer o mesmo com uma carta à direita da linha divisória, procurando, com a ajuda do parceiro, descobrir se o nome no alfabeto dactilológico corresponde àquela com a foto e o nome em letra bastão.

Se a dupla acertar a associação, fica com as cartas e marca ponto. Se a equipe não fizer o par, todo o grupo tem a oportunidade de reconhecer o nome que aparece em cada carta não correspondida e recolocá-las no mesmo lugar ocupado anteriormente, para facilitar a memorização.

Ao final, a turma conta os pontos, registra, compara quem fez mais e menos pontos, se foram os meninos ou as meninas, e quantas crianças faltaram. Sempre que surgir oportunidade, faça listas com a construção coletiva da escrita dos nomes e palavras trabalhadas, além da reescrita e da releitura individual.

Materiais: canetas hidrográficas coloridas; cartolinas brancas e coloridas; fita adesiva colorida; folhas de papel sulfite tamanho A4; fotos dos alunos; giz; riscos do alfabeto dactilológico (pronto na seção "encartes"); tesoura com ponta arredondada.

Encartes:

Para decifrar um enigma

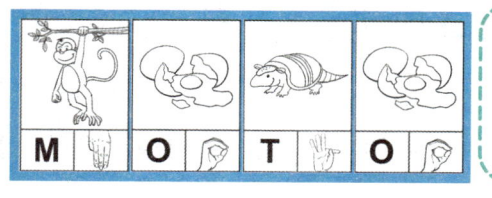

Desenvolvimento

Utilize recortes de figuras de propagandas de mercados ou de revistas para criar enigmas de palavras para a turma desvendar. Pense em palavras que sejam de conhecimento de todos os alunos e recorte figuras que representem as letras desses vocábulos. Então, cole uma ao lado da outra, com espaço considerável para colar a letra na língua de sinais que corresponde à primeira letra que dá nome à figura. Por exemplo: para a imagem de uma maçã, cole embaixo a mãozinha sinalizando a letra M; para a figura dos óculos, recorte a representante da letra O; para a imagem de uma TV, a da letra T; para a figura do ovo, a da letra O. Então, o enigma desvendado é a palavra MOTO. Auxilie as crianças a decifrar os enigmas e fazer a transcrição da palavra para o alfabeto na língua portuguesa.

Caça ao tesouro

Desenvolvimento

Utilize a sugestão da atividade anterior para os diversos campos semânticos. Faça brincadeiras com as crianças, como uma caça ao tesouro na qual cada pista a ser seguida implica respeitar a figura e a mão sinalizando as letras na sequência alfabética que forem sendo descobertas.

Por exemplo: encontrar o desenho de um avião ou um avião de brinquedo, ou ainda a figura de uma abelha ou de um abacaxi. Compreende-se que começa por A e, então, os alunos devem observar que acima há uma seta indicando em que sentido devem seguir para encontrar a mãozinha representando a letra A, assim procedendo para todas as letras, até concluir o alfabeto. Ao final,

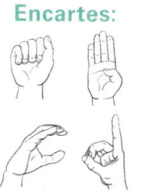

encontrarão o tesouro, que pode ser uma caixa com pirulitos para todos com a identificação de seus nomes. Se alguém tentar queimar alguma etapa, convide todos para uma roda de conversa e explique a necessidade das regras. Coloque essas questões para que o próprio grupo faça uma reflexão a respeito e então retome a caçada ao tesouro.

Este sou eu!

Confeccione com a turma um álbum no qual os alunos compreendam sua estrutura familiar e seus gostos pessoais

Eixos temáticos: *Natureza e Sociedade, Movimento, Linguagens Oral e Escrita, Matemática, Artes, LIBRAS*
Responsável: *Izildinha Houch Micheski*
Objetivo: *criar atividades na Língua Brasileira de Sinais que estimulem os alunos a compreender o processo de socialização e* *a diversidade de estruturas familiares através do recurso de uma língua diversificada, na qual todos os cidadãos podem aprender a se comunicar e a interagir com naturalidade, estreitando a distância entre surdos e ouvintes*
Idade: *a partir de 3 anos*

Foto: Shutterstock

Um cartaz bem familiar

Desenvolvimento

Peça que os alunos encontrem, em figuras de revistas, diferentes modelos de estruturas familiares. As crianças ajudam a identificar os componentes: a mamãe, o papai, a irmã, o irmão, o vovô, a vovó, o bebê, entre outros.

Oriente-as a comparar as figuras recortadas com as suas próprias famílias e, em seguida, ensine os sinais representados na Língua de Sinais. Multiplique as cartas do encarte, recorte-as, cole-as em papel firme para garantir a durabilidade e entregue-as para cada aluno.

As figuras de revistas que foram trabalhadas devem ser colocadas em um painel com o

seguinte título, em letra bastão: FAMÍLIAS E FAMÍLIAS. Cole a carta com a figura que representa a família na LIBRAS embaixo de cada palavra, para ser deixada em exposição para visualização.

Um álbum de fotos especial

Desenvolvimento

Solicite que as crianças tragam fotografias individuais e de suas famílias, em diferentes tempos da vida, para a confecção de um álbum.

A primeira folha deve ter a fotografia do aluno e, acima, a carta com o personagem ensinando a turma a expressar por sinais cada letra da frase "ESTE SOU EU". Abaixo da fotografia, novamente o mascote ensina a frase "MEU NOME É...", que o aluno completa com seu nome.

Na segunda folha, oriente-os a desenhar um bolo com a quantidade de velinhas necessária para representar a idade. Cole as cartinhas ao lado, dando continuidade às palavras escritas em letras bastão "EU TENHO...": uma com o menino mostrando o sinal "idade", outra representando o numeral e a terceira sinalizando a palavra "ANOS". Na terceira folha, o aluno deve colar a foto da família e a carta que apresenta o sinal correspondente à língua de sinais.

Na quarta folha, escreva em letra bastão a seguinte frase como título: "MEU BICHO DE ESTIMAÇÃO". Oriente as crianças a pesquisar em casa uma foto ou ilustração de um animal que eles gostariam de ter e colem, junto à figura, o nome correspondente.

Na próxima folha, intitule, seguindo instruções anteriores, com a frase "ESTA É A MINHA FAMÍLIA". Em seguida, o aluno ilustra com a foto da família e a cartinha correspondente na língua de sinais. As crianças podem circular no grupo, apresentando os familiares e dando-lhes os sinais correspondentes.

Você deve sempre intermediar as trocas de conhecimento e administrar qualquer situação conflitiva, dando às crianças o direito a expressar-se, garantindo uma socialização saudável. Oriente-as a colocar setas de dentro da foto para fora, apontando cada componente. Na outra extremidade dessa setinha, peça que eles escrevam o nome de cada um, em letra bastão.

Siga essa sugestão e, com a garotada, defina o que mais pode compor esse álbum, que conta um pouco da história das crianças, acrescentando o que gostam de desenhar, colecionar, etc. Cada um pode escolher o nome para o álbum, podendo também decorá-lo usando a técnica do scrapbook, aplicando motivos decorativos e muita criatividade.

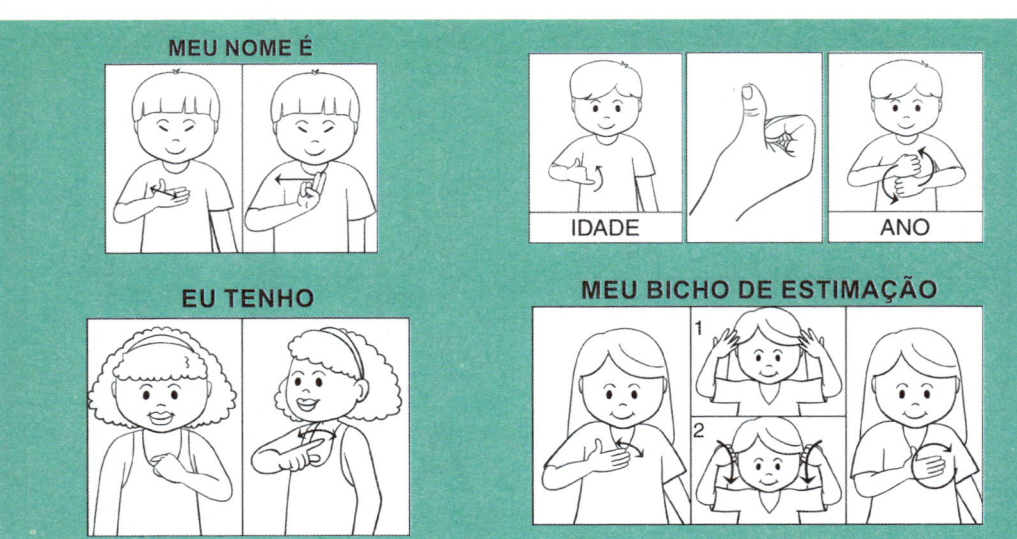

Quantos anos você tem?

Trabalhe a representação das palavras "ano", "idade", "eu" e "você" na Língua Brasileira de Sinais

Eixos temáticos: *Natureza e Sociedade, LIBRAS, Linguagens Oral e Escrita, Movimento, Matemática*
Responsável: *Izildinha Houch Micheski*
Objetivos: *criar atividades na Língua Brasileira de Sinais que estimulem os alunos a compreender o início do seu processo de socialização e a diversidade de estruturas familiares existentes através do recurso de uma língua diversificada, na qual todos os cidadãos podem aprender a se comunicar e a interagir com naturalidade, estreitando a distância entre surdos e ouvintes; desenvolver o raciocínio lógico-matemático*
Idade: *a partir de 3 anos*

Eu e você

Desenvolvimento

Depois de trabalhar letras, nomes e palavras sugeridos em diversos contextos, utilize os encartes e ensine os numerais e os sinais para os vocábulos "ANOS", "IDADE", "EU" e "VOCÊ".

Reúna a turma em uma roda de conversa e oriente um aluno a perguntar a idade ao amigo que estiver localizado à sua esquerda. Ele deve olhar para o colega, apontar o dedo em sua direção, sinalizar a palavra "VOCÊ" com expressão de interrogação e executar o sinal para a palavra "IDADE". O amigo deve apontar o dedo para si próprio, sinalizando a palavra "EU", representar com as mãos a quantidade de aniversários

Materiais: *encartes dos numerais e das palavras "anos", "idade", "eu" e "você" ; tesoura com ponta arredondada.*

Encartes:

completados até o momento e executar o sinal para expressar "ANOS".

Dando continuidade, aquele que respondeu dirige-se à criança também à sua esquerda e faz a mesma coisa, até que todos tenham participado.

Gráfico de barras

Materiais: *caixas de sapato ou de leite; cola bastão; folhas de papel sulfite tamanho A4; giz; papel kraft; pincel; numerais em LIBRAS (prontos na seção "encartes"); tinta guache; tesoura com ponta arredondada.*

Encartes:

Desenvolvimento

Construa com as crianças um gráfico de barras não convencional. Para isso, peça que elas encapem caixas de sapatos ou de leite com papel kraft e depois pintem-nas com guache e pincel em uma única cor.

Desenhe no chão, com giz, alguns retângulos, um ao lado do outro, e coloque dentro de cada espaço uma folha sulfite ou papel kraft na mesma medida. Cole no centro a mão sinalizando o numeral que representa cada idade revelada na atividade.

Oriente os alunos a observar os numerais representados e colocar sua caixa no espaço destinado àquele que corresponde à sua idade. Todos repetirão o procedimento e, após as caixas terem sido empilhadas, intermedie a discussão sobre qual barra ficou maior ou menor e o que isso representa.

O mesmo procedimento pode ser feito para pesquisar a incidência de aniversários de cada mês, pratos prediletos, profissões que aparecem nas famílias, programas preferidos na TV, brincadeiras que mais gostam, etc.

Lar, doce lar

Um divertido bingo ensina às crianças os sinais que representam os objetos de uma casa

Eixos temáticos: *Natureza e Sociedade, Movimento, Linguagens Oral e Escrita, Matemática, Artes, LIBRAS*
Responsável: *Izildinha Houch Micheski*
Objetivos: *levar a criança a ampliar seu processo de leitura do mundo, começando pelo que está mais próximo, dentro do seu próprio lar, que muitas vezes não é notado devido à falta do exercício e da ressignificação do olhar. Isso pode ser construído na relação com o outro; no caso, a escola pode favorecer essa prática e conduzir a criança nesses primeiros passos subjetivados*
Idade: *a partir de 3 anos*

Materiais: *cola bastão; encartes com os sinais da temática "Lar"; folhas de papel sulfite tamanho A4; papel-cartão; revistas; tesoura com ponta arredondada.* **Encartes:**

Desenvolvimento

Ensine os sinais referentes ao tema "lar", assim como elementos da própria casa, móveis (mesa, cama, etc), eletrodomésticos e objetos mais comuns. Repita os sinais várias vezes, oportunizando que as crianças aprendam realmente e brinquem com os sinais para se apropriarem do conhecimento construído.

Sempre cole os encartes da revista sobre papel firme para maior preservação e, depois, recorte-os. Nesta atividade, eles serão trabalhados em conjunto com figuras recortadas de folhetos de propaganda, que também devem ser coladas sobre papel firme, para que se conservem por mais tempo e sejam reaproveitadas em outras dinâmicas.

Esse jogo assemelha-se ao bingo. Oriente a confecção da cartela em sulfite ou papel kraft na mesma medida. Cada criança deve preparar sua cartela com três quadrados na horizontal e três na vertical.

Entregue nove figuras iguais para cada criança e guarde as suas nove, sem repetição, em uma sacola. Quando se certificar de que os alunos já possuem o material, inicie o bingo. Sorteie uma carta e execute o sinal correspondente quantas vezes forem necessárias.

Estipule o tempo que achar suficiente para que as crianças localizem a figura correspondente e colem-na dentro do quadriculado que escolheu na sua cartela. Quem conseguir completar primeiro uma fileira na horizontal, vertical ou diagonal vence a partida. Porém, cuide para que todos, com tranquilidade e interagindo com os amigos, possam completar suas cartelas.

Ao concluir o jogo, trabalhe no caderno a lista com a escrita em letra bastão das palavras que nomeiam as figuras que aparecem na atividade e outras que podem ser lançadas pelos alunos.

Reutilize o material como instrumento para criar outras situações de aprendizagem, como jogos de memória, ligar fichas com as figuras do mascote que ensina os sinais, organizando de forma que sejam duas fileiras distintas.

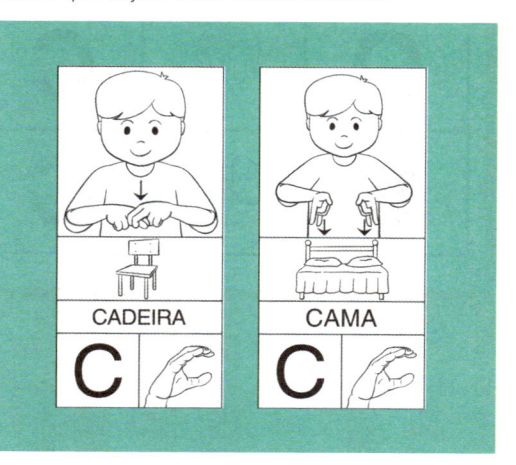

LETRAS E NÚMEROS

Alfabetização na Língua Portuguesa e LIBRAS para ouvintes

Trabalhe o alfabeto e a Língua de Sinais com toda a turma e valorize a interação social

Eixos temáticos: *Natureza e Sociedade; Linguagens Oral e Escrita; Artes Visuais; Movimento; Identidade e Autonomia; Matemática; LIBRAS e Língua Portuguesa*
Responsável: *Izildinha Houch Micheski*
Objetivos: *levar as crianças ouvintes ao conhecimento da escrita e do som das letras do alfabeto; trabalhar a sequência, a criatividade e a percepção, oportunizando o letramento; situar a escrita e sua função social no meio ambiente; apresentá-la como uma representação da linguagem e da comunicação presente em todos os contextos possíveis; desenvolver recursos alternativos e atraentes que despertem o desejo e o prazer pelo aprender; construir conceitos lógico-matemáticos através da sequência alfabética significativa e oportunizar o conhecimento da LIBRAS*
Idade: *a partir de 3 anos*

Materiais: *alfabeto ilustrado (pronto na seção "encartes"); cola bastão; lápis de cor; papel-cartão; tesoura com ponta arredondada.*

Encartes:

Desenvolvimento

Em uma roda de conversa, mostre as letras do alfabeto e, para os ouvintes, explique como elas passam pelo nosso corpo e se comportam na leitura. Trabalhe os movimentos que fazemos ao pronunciá-las, como a boca é aberta, os movimentos da língua quando bate no dente, o ventinho quando falamos "efe", a facilidade de abrir a boca ao dizer as vogais. Mostre como abrimos a boca grande quando falamos o "A" e como ela vai se fechando gradativamente ao dizer o "E", o "I", o "O" e, por último, fazemos um bico quase fechado para o "U". Explique-lhes que são essas letrinhas que darão o som para as sílabas e, consequentemente, para as palavras.

Explore também os desenhos que estão nas cartas do alfabeto (disponíveis na seção "encartes"), pois representam palavras que começam com a letra descrita.

Mostre uma letra por vez e, a cada uma, pergunte à classe se existe alguma criança cujo nome comece com aquela letra. Permita que se expressem, incentive-os e faça intervenções quando necessário.

Ampliação

• Multiplique as cartas com as letras de maneira que todos recebam um conjunto completo. Dessa forma, organizados em grupos para compartilharem suas experiências e socializarem suas produções, os alunos também desenvolvem sua modalidade de aprendizagem, permitindo o desenvolvimento da sua singularidade para as intervenções que se fizerem necessárias, tanto para intermediar situações como para valorizar e estimular novas conquistas.

• Multiplique, recorte e cole as cartas em papel-cartão para trabalhar várias dinâmicas, favorecendo, assim, o letramento. Forme grupos de cinco crianças e distribua dois jogos de cartas completos para desenvolverem o jogo da memória, permitindo que criem outras regras para este jogo.

• Apresente paralelamente o alfabeto dactilológico da Língua de Sinais.

Consciência fonológica na alfabetização de ouvintes

Desenvolvimento

Em uma roda de conversa, explique aos alunos a importância de conhecer todas as letrinhas do alfabeto, pois elas são indispensáveis para escrever o nome de cada um e de todas as coisas que se pode imaginar, como músicas, poesias, receitinhas gostosas, os nomes dos bichinhos, dos brinquedos e muito mais.

Apresente uma letra de cada vez até que todos tenham a mesma oportunidade de aprendê-la. Cada letra pode ser trabalhada dentro de um nome, de uma rima, de um poema, de uma embalagem ou de uma música infantil.

Iniciando pela letra "A", dê enfase à forma, orientando os pequenos a contornar seus traços deslizando o dedinho sobre ela e transitando-o pelo seu interior.

Não se limite a ensinar apenas o nome da letra, mas, principalmente no caso de ouvintes, como ela passa pelo nosso corpo e se comporta na leitura. Por exemplo, a letra "A" se chama "A" e faz "A" ao ser pronunciada. Ao proceder dessa forma com todas as letras, as crianças vão perceber que as vogais se comportam igualmente, no entanto, as consoantes são diferentes, pois a letra "S" por exemplo, se chama "S" (ésse), mas tem um comportamento interessante, porque, dentro de uma palavra, ela dá uma assopradinha; e que a letrinha "R" também é engraçada, porque faz uma cócega na garganta da gente ou faz a nossa língua dar uma tremidinha, como nas palavras "rato" e "aranha". Conduzindo dessa forma, você trabalha não somente o nome de cada letra, mas também a consciência fonológica, que, para os ouvintes, contribui na construção dos conhecimentos necessários para desenvolver a leitura e, consequentemente, para a escrita, proporcionando mais facilidade na aprendizagem das assustadoras "sílabas complexas".

Se esse procedimento for observado com muito carinho, a probabilidade de as crianças acessarem as demais séries sem estarem alfabetizadas é improvável. Isso porque, além de terem aprendido com significado, o processo de ensino não ficou fragmentado, limitando-se apenas ao ensino do nome de cada letra. Essa falha tem sido uma das principais vilãs no fracasso dos alunos durante o processo de alfabetização. Quando isso acontece, o método, a linha ou o modelo de ensino ficam "atrapados" (termo da psicopedagogia que significa "ficar preso", estagnado e não ter avanço) e os prejuízos no desenvolvimento do sujeito da aprendizagem são visíveis.

Foto: Shutterstock

Alfabeto personalizado

 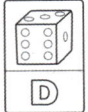
Desenvolvimento

Ofereça os pincéis e as tintas guache, e oriente as crianças a escolher uma única cor de sua preferência para pintar o interior da letra que está sendo trabalhada. Ajude-as a colocar as produções em um lugar apropriado para secagem, não esquecendo de identificá-las com seus nomes no verso antes de pintar. Assim que estiverem secas, as letras devem ser coladas nos cadernos de desenho.

Retome a atividade no dia seguinte, organizando os alunos sentados em círculo no chão, e incentive-os a resgatar os conhecimentos construídos. Solicite também que citem alguma coisa que conhecem que comece com cada uma das letras apresentadas. Deixe que soltem a imaginação e depois pergunte-lhes quais gostariam que fossem escritas em um cartaz. Antes de passar para a próxima letra, ofereça revistas para que recortem só a letra trabalhada naquele momento, em tamanho grande, e colem-na ao lado da letra pintada anteriormente. Proceda assim até que seja concluída a aprendizagem completa do alfabeto.

Para que a capa do caderno das letras fique ainda mais bonita, corte folhas de lixa na mesma medida, cole sobre ela e trace mosaicos com o giz de cera branco. Peça que as crianças pintem cada pedacinho de cores diferentes.

Confeccione um alfabeto extra pintado com tinta guache colorida para deixá-lo fixado na parede, onde as crianças possam ter uma excelente visualização.

Livro coletivo do alfabeto

Desenvolvimento

Confeccione um grande livro coletivo do alfabeto, que será pesquisado sempre que necessário. Para tanto, recorte as folhas de papel kraft ao meio e cole uma letra na parte superior de cada folha.

Distribua encartes, jornais e revistas e trabalhe uma letra de cada vez, distribuindo o tempo e os dias para essa atividade de acordo com suas necessidades e adequações do espaço. Então, oriente as crianças a pesquisar e recortar figuras de coisas que comecem com a letra trabalhada, para que colem no espaço da folha. Em seguida, explique-lhes que podemos escrever essa letra de outras formas, como letra cursiva, de imprensa, decorada, maiúscula ou minúscula. Solicite aos pequenos que recortem e colem no papel kraft as letras nesses outros formatos.

Ao final do trabalho, teremos um grande alfabetário com as letras, as figuras que começam com cada uma delas e suas várias formas de serem escritas.

Álbum sanfonado

Materiais: *alfabeto ilustrado em LIBRAS (pronto na seção "encartes"); canetinhas de diversas cores; cola bastão; lápis de cor; papel sulfite colorido; revistas; tesoura com ponta arredondada.*

Encartes:

Desenvolvimento

Retome a roda de conversa e apresente a proposta de trabalho que consiste em montar um livro sanfonado, com páginas de cerca de 15 cm de lado, com todas as letras do alfabeto, capa e contracapa decorada conforme a criatividade de cada um. Entregue as letras do alfabeto pequenas (prontas na seção "encartes") para as crianças pintarem seu interior com os lápis de cor ou canetinhas coloridas. Em seguida, oriente as crianças a colar cada cartinha no lado esquerdo do livro e uma ilustração grande no lado direito. A capa também deve ser confeccionada priorizando o nome da criança. Registre sempre toda a trajetória e o comportamento do grupo, bem como a receptividade à atividade, desenvolvimento e a interação dos alunos na construção da aprendizagem.

Exponha os trabalhos para que as crianças percebam a importância que lhes é atribuída.

Paralelamente, ensine-lhes cada letra na Língua Brasileira de Sinais (LIBRAS), ampliando os conhecimentos já construídos, utilizando as ideias mostradas.

E a letra é...

Materiais: *alfabeto ilustrado (pronto na seção "encartes"); saco de TNT grande; tesoura com ponta arredondada.*

Encartes:

Desenvolvimento

Utilize outras cópias das letras para dar novos direcionamentos aos processos de alfabetização e letramento. Coloque as cartas em um saco de TNT grande. À medida que um aluno escolhido pela turma retira uma letra do saco, escolha uma criança para revelar uma palavra que comece com aquela letra (pode ser um nome de pessoa, de fruta, objetos, alimentos, lugares, etc.). Quando o amiguinho tiver dificuldade para responder, permita que as crianças o ajudem.

Jogo da memória

Materiais: *alfabeto ilustrado em LIBRAS (pronto na seção "encartes"); cola bastão; papel-cartão; revistas; tesoura com ponta arredondada.*

Encartes:

Desenvolvimento

Prepare um jogo de memória diferente: ole uma cópia das letras do alfabeto ilustrado equeno (pronto na seção "encartes") em apel-cartão e recorte-as em seguida. Recorte,

também, quadrados do mesmo tamanho das cartas e peça às crianças que colem figuras que comecem com cada uma das letras, sendo um desenho em cada pedaço de papel. Distribua um jogo para cada grupo de cinco alunos. As cartas devem ser colocadas em cima da mesa com as faces viradas para baixo. Então, uma criança por vez vira duas cartas e as observa. Se em uma tiver uma letra e na outra uma figura que comece com essa mesma letra, a criança ganha um ponto e separa o par. Caso contrário, ela deve voltá-las à posição inicial e continuar o jogo.

Consciência fonológica: o primeiro passo para o letramento

Para crianças ouvintes, é impossível pensar em letramento e alfabetização sem o desenvolvimento da consciência fonológica, que é o conhecimento da sonoridade da linguagem, ou seja, a capacidade de perceber que a língua falada é composta por unidades fonéticas que se combinam e recombinam para formar sílabas, palavras, frases e textos. É ela que dá subsídios para a aquisição da leitura e da escrita, como demonstraram diversos estudiosos. Sendo assim, trazer a criança para o universo da linguagem consiste em um trabalho focado também no desenvolvimento da oralidade, pois, conforme afirma o fonoaudiólogo Jaime Luiz Zorzi, a criança só avança para a fase silábica de escrita se já está atenta à sonoridade das palavras. Por essa razão, os projetos pedagógicos sugeridos trazem sempre rodas de conversa, músicas, cantigas de rodas, poesias, parlendas, jogos orais, entre outras atividades que desenvolvem essa habilidade metalinguística. Mas não basta cantar e recitar, é preciso que o professor chame atenção para os elementos fonológicos da língua, por exemplo, pedindo à criança que encontre as rimas na parlenda recitada.

A consciência fonológica é composta de sub-habilidades. São elas:

Rima – representa a correspondência de sons na terminação das palavras. Brincar de rimar os nomes das crianças com palavras ajuda a desenvolver a habilidade de perceber essas correspondências.

Aliteração – representa a repetição de letras ou sílabas no início das palavras. Segundo a fonoaudióloga Lilian Nascimento, os trava-línguas são um bom exemplo para trabalhar essa habilidade, por utilizarem o mesmo fonema na frase.

Consciência de palavras ou sintática – representa a capacidade de perceber as palavras de uma oração, a relação entre elas e a ordenação que as faz terem sentido. Marcar as palavras de uma frase com o bater das mãos ou dos pés, ou até mesmo contar os elementos da frase, ajuda a desenvolver essa percepção.

Consciência da sílaba – representa a capacidade de perceber e separar as sílabas das palavras. Nesse caso, a contagem também é um ótimo recurso, dizer quantas sílabas a palavra tem, subtrair uma sílaba para formar nova palavra, perceber a sílaba inicial ou final são alguns exemplos de ações que trabalham o desenvolvimento dessa habilidade.

Consciência fonêmica – é a mais refinada das capacidades da consciência fonológica e a última a ser adquirida pela criança. Consiste em analisar os fonemas das palavras e, portanto, formar palavras a partir do ditado de seus fonemas, contar a quantidade de fonemas da palavra, bem como tirar ou pôr fonemas para formar outras palavras, o que auxilia no aprimoramento dessa capacidade.

Tendo conhecimento disso, é possível trabalhar tais processos com os alunos ouvintes e encontrar maneiras de adaptá-los para as necessidades das crianças surdas ou com deficiência auditiva.

Fonte: Lilian Cristine Ribeiro Nascimento, fonoaudióloga, doutora em educação pela Universidade Estadual de Campinas (Unicamp), docente no curso de pós-graduação em Psicopedagogia do Centro Universitário Adventista de São Paulo (Unasp)

Sugestão de livro sobre o tema: Habilidades Auditivas e Consciência Fonológica - da Teoria à Prática, organizado por Keila Alessandra Baraldi Knobel e Lilian Cristine Ribeiro Nascimento (Ed. Pró-fono).

Descubra o alfabeto

Amplie o conhecimento da garotada a respeito das letras e da Língua Brasileira de Sinais, com atividades como jogo de percurso e pintura

Eixos temáticos: *Artes Visuais, Matemática, Movimento, Música, Natureza e Sociedade, Linguagens Oral e Escrita, e Identidade e Autonomia*
Responsável: *Izildinha Houch Micheski*
Objetivos: *desenvolver a criatividade; trabalhar a percepção tátil e a coordenação motora; oferecer às crianças o conhecimento das letras, preparando-as para a alfabetização contextualizada*
Idade: *a partir de 3 anos*

Alfabeto ilustrado

Materiais: *caixa de papelão quadrada; lápis de cor; pincel; alfabeto, pronto na seção "encartes"; tesoura com ponta arredondada.*

Encartes:

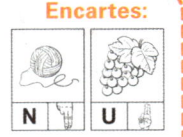

Materiais alternativos: *papel-cartão; tintas guache de cores variadas.*

Desenvolvimento

Recorte as cartas do alfabeto ilustrado que está na seção "encartes.". Em uma roda de conversa, mostre uma ficha por vez aos alunos. Permita que eles busquem em suas experiências algum objeto, produto ou alimento cujo nome comece com a letra trabalhada. Deixe-os à vontade para se expressar, pois, mesmo antes de frequentar a escola, os pequenos já possuem a própria leitura de mundo. Quando se trata da criança ouvinte, é importante que primeiro o aluno estabeleça contato com o visual e fonético, para que, depois, você trabalhe a grafia da letra. Registre todas as observações e intervenha quando necessário. Para auxiliar na conversa, utilize um bicho de pelúcia pequeno e explique para a turma que, enquanto ele estiver na mão do amigo que está falando, os demais devem estar atentos. Ao terminar, o aluno passa o brinquedo para outra criança que queira opinar, permitindo,

assim, o exercício de ouvir e falar, observar e aguardar seu momento de se expressar. Durante a atividade, pergunte a elas se conhecem a letra A. Oriente-as a perceber se esta existe no nome dos coleguinhas da sala e dos familiares, ou se já a observaram em embalagens. Com essas informações, seja o escriba e prepare uma lista com as palavras citadas pelos alunos. Em seguida, oriente-os a pesquisar com seus familiares rótulos, embalagens vazias ou encartes que comecem com essa letra e peça que levem para a escola. Prepare a mesma sequência de atividades para trabalhar com as outras letras, até completar o alfabeto. Quando perceber que a turma se apropriou da letra, interiorizando esse conhecimento, ensine o sinal em LIBRAS contido na carta. Depois de trabalhar todas as letras, cole as fichas sobre papel-cartão e fixe-as na sala de aula.

Jogo de palavras

escrita, sem medo de correr riscos de errar, fortalecendo, assim, a autonomia e a autoestima. Os diagramas na LIBRAS auxiliam no desenvolvimento da Língua de Sinais e funcionam como instrumentos para o processo de inclusão e compreensão da diversidade.

Desenvolvimento

Utilize os diagramas em Português e na LIBRAS (disponíveis na seção "encartes") que, trabalhados em grupos, duplas ou individualmente, se transformam em brincadeiras desafiadoras e prazerosas. Essas atividades favorecem o desenvolvimento do processo de aprendizagem e envolvem as crianças em um contexto significativo, permeado pela oportunidade da leitura e da

Alfabeto na LIBRAS

Desenvolvimento

Mostre às crianças o alfabeto tradicional na Língua Brasileira de Sinais – LIBRAS (disponíveis na seção "encartes"), apresentando uma letra por vez, assim como o sinal correspondente. Oriente-as, em seguida, a fazer as representações das letras com as mãos, conforme indicação.

Explique quando e por que a LIBRAS é utilizada, valorize e socialize os questionamentos, permitindo que o grupo faça seus levantamentos e elabore respostas.

Em um segundo momento, oriente o alunos a identificar pessoas surdas no meio em que vivem e na escola. Caso não exista nenhuma, solicite a presença de um surdo para mostrar como ele se comunica usando as mãos. Enriqueça a abordagem com vídeos que tenham tradução simultânea para LIBRAS.

Indicação: *Smilinguido em Histórias de Formiga 2* (Produção Luz e Vida)

Jogo das três fases

Materiais: cartas com ilustrações dos números e sua representação em LIBRAS (prontas na seção "encartes"); cola branca; tesoura com ponta arredondada.

Desenvolvimento

Para utilizar a LIBRAS como recurso didático ferenciado e enriquecer a construção do nhecimento lógico-matemático, multiplique as cartas, que possuem três espaços distintos: a presentação do número na LIBRAS; o número; e na lacuna em branco; bem como o outro grupo cartinhas que se encaixam nessa terceira coluna branco, contendo ilustrações de corações nas antidades correspondentes. Organize as crianças n duplas ou em pequenos grupos e apresente cartas, uma a uma, mostrando a representação LIBRAS. Em seguida, oriente-as a fazer a respondência dos números e numerais, caixando as cartinhas nas colunas corretas. Após renderem o sinal de cada numeral na LIBRAS, safie as crianças a criar regras para o jogo.

Caçando e cruzando palavras

Materiais: borracha; aça-palavras e cruzadinhas (prontos na eção "encartes"); cola branca; lápis preto; soura com ponta arredondada.

Desenvolvimento

Multiplique as cruzadinhas e os caça-palavras (ver seção "encartes") e utilize-os com a turma em grupos, duplas ou individualmente. Estes jogos favorecem o desenvolvimento do processo de aprendizagem das crianças de maneira lúdica.

Salada de frutas

Promova atividades divertidas com alimentos saudáveis e deliciosos!

Materiais: *copos, pratos, potes e talheres de plástico; frutas da estação; ilustrações de frutas (prontas na seção "encartes"); papel-cartão.*

Eixos temáticos: *Natureza e Sociedade, Movimento, Linguagens Oral e Escrita, Música, Artes, LIBRAS*
Responsável: *Izildinha Houch Micheski*
Objetivo: *dinamizar o processo de alfabetização e letramento desenvolvendo as percepções, as texturas e observando a diversidade de aromas, sabores e cores*
Idade: *a partir de 3 anos*

Desenvolvimento

Multiplique as cartas que contêm ilustrações de frutas disponíveis, recorte-as e cole-as em papel firme. O próximo passo é combinar com as crianças e as famílias a elaboração de uma salada de frutas com guaraná. Solicite que os alunos observem cada fruta: o formato, a textura, o aroma. Cada sabor pode ser percebido e comentado na degustação, servida em potinhos ou copinhos plásticos com talheres no mesmo material.

Com base nos encartes, ensine o sinal de cada fruta e promova um ditado da lista desses alimentos, sinalizando cada um lentamente, para que as crianças aprendam. Outra sugestão é mostrar o sinal e solicitar que as crianças façam o desenho correspondente. A construção da lista das frutas através da escrita coletiva do nome de cada uma é fundamental para preparar os alunos para um ambiente alfabetizador e para o letramento.

A preparação da salada de frutas pode

contar com a colaboração de duas mães. Antecipando a merenda, você pode trabalh com as crianças o desenho de observação de cada fruta.

Em outro momento, utilize folhas de sulfite e faça um vinco no centro. Multipliq o encarte das cartas que vai usar e cole-as em papel firme. Em seguida, cole na vertic da folha as cartas com as frutas; no centro as cartas com com o sinais ensinados, na vertical; e, na outra extremidade, a representação escrita de cada palavra correspondente em letra bastão. Então, multiplique as figuras para que cada aluno tenha a atividade e possa completar as três cartas, fazendo a correspondência entre figura, sinal e palavra.

Ampliação

Oriente uma pesquisa sobre as árvores frutíferas de cada região do País, localize esses lugares no mapa e apresente receita de doces, sucos, geleias, gelatinas e sorvetes.

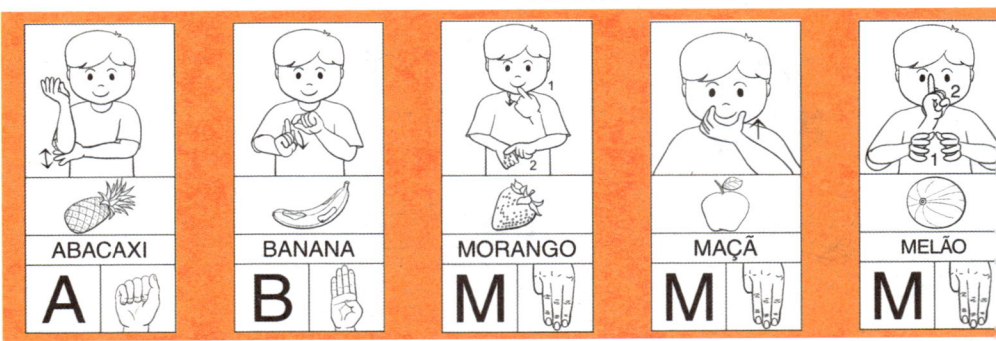

Representação do mundo

Materiais: cartas de LIBRAS (prontas na seção "encartes"); cola; papel-cartão; tesoura com ponta arredondada.

Encartes:

Desenvolvimento

Em uma roda de conversa, explique para s crianças sobre a comunicação dos surdos través da Língua Brasileira de Sinais (LIBRAS) apresente-lhes as cartas com o mascote ealizando o sinal de cada fruta. Ensine aos unos como executá-los. Uma vez que todos aprenderam os sinais na atividade anterior, sgate esses conhecimentos. Ofereça as artinhas com as frutas e três divisões incluindo mascote. Solicite que as crianças observem entamente todas e, em grupo, procurem calizar a carta do sinal correspondente à artinha da fruta. Em seguida, oriente a colagem espaço central da carta.

Ampliação

Multiplique os encartes e crie jogos de emória. Você também pode construir listas palavras e pesquisar sobre a época de da fruta, suas vitaminas, seus benefícios ara a saúde, de que forma são vendidas (se dividualmente, por quilo ou dúzia), etc.

Todo o desenvolvimento dos projetos deve r devidamente registrado com os recursos sponíveis, visando observar o progresso criança e à construção dos seus saberes. ma vez concluída a dinâmica, ela pode ser petida de maneira que cada um tenha o seu aterial para colar no caderno como registro da vidade.

PERA

ABACAXI

BANANA

CAQUI

GOIABA

LARANJA

Ilustração de Monica Fuchshuber

Adivinhou?

Com jogos e enigmas para decifrar, as crianças aprendem formas diversificadas de comunicação

Materiais: *cartas dos meios de transporte e comunicação (prontas na seção "encartes"); lápis de cor; tesoura com ponta arredondada.*

Eixos temáticos: *Natureza e Sociedade, LIBRAS*
Responsável: *Izildinha Houch Micheski*
Objetivos: *viabilizar a comunicação sem barreiras entre surdos e ouvintes; ensinar alguns sinais básicos*
Idade: *a partir de 3 anos*

Desenvolvimento

Ensine cada grupo de sinais de acordo com o campo semântico, como meios de transporte e de comunicação. Trabalhe as listas com a escrita coletiva e individual. Em seguida, oriente a criação das adivinhas e dos jogos para desenvolver os temas, como jogos de memória, dominó e de ligar as palavras.

Confeccione cartazes com adivinhas e o desenho do mascote realizando o sinal, e peça que as crianças executem o sinal e respondam ao desafio.

Construa textos e substitua algumas palavras pela carta enigmática com sinais. Os alunos deverão decifrar qual é a palavra que deve ser colocada no lugar e, em seguida, fazer a reescrita do texto. No lugar dos veículos ou meios de comunicação, devem constar cartas de sinais para serem interpretados. Todos devem reescrever a frase e executar os sinais correspondentes.

BICICLETA — B

CAMINHÃO — C

CARRO — C

TELEFONE — T

Elefante colorido, 1, 2, 3!

Ensine aos alunos os sinais das cores e desenvolva o gosto pelas artes

Materiais: *caixa de papelão; cartas das cores (prontas na seção "encartes"); tesoura com ponta arredondada.*

Encartes:

Eixos temáticos: *Artes Visuais, LIBRAS*
Responsável: *Izildinha Houch Micheski*
Objetivos: *desenvolver o gosto pela arte; promover o conhecimento da língua de sinais*
Idade: *a partir de 3 anos*

Desenvolvimento

Ensine os sinais das cores e depois peça para que as crianças encontrem objetos em sala de aula com as cores solicitadas por você. Os objetos devem ser depositados em uma caixa de *papelão. Em seguida, faça uma tabela na lousa para relacionar as cores e os objetos encontrados, orientando a turma a fazer a lista também em seus cadernos.*

Faunas brasileira e africana

Desperte o desejo de fazer novas descobertas e crie situações para que a turma discuta as semelhanças e as diferenças entre os animais do Brasil e da África

Eixos temáticos: *Artes Visuais, Matemática, Natureza e Sociedade e Linguagem Oral e Escrita*
Responsável: *Izildinha Houch Micheski*
Objetivos: *criar situações de aprendizagem através de uma língua diferenciada, com referenciais lúdicos; trabalhar as zonas real e proximal como recursos que permitem que as crianças conheçam as faunas africana e brasileira; despertar nos alunos o desejo de fazer novas descobertas*
Idade: *a partir de 4 anos*

Jogo da memória com os animais do Brasil

Materiais: *canetinhas coloridas; cartas do jogo (prontas na seção "encartes"); tesoura com ponta arredondada.*

Encartes:

Desenvolvimento

Multiplique as cartas referentes a este jogo (ver seção "encartes"), de maneira que cada dupla de alunos receba um kit completo. Entregue as cartas às crianças e peça que as pintem. Então, ensine os sinais dos nomes dos animais do Brasil na LIBRAS. Para começar o jogo, solicite aos alunos que coloquem todas as fichas sobre a mesa com as figuras viradas para baixo. Eles devem decidir quem começa. Então, uma criança seleciona duas cartas, com o intuito de formar um par. Se conseguir, marca um ponto, reserva as cartas para si e continua jogando. Caso não consiga, deixa as cartas no mesmo lugar e passa a vez para outro colega. Vence a brincadeira quem, ao final, agrupar o maior número de pares. Após encerrar a atividade em sala de aula, entregue um jogo da memória para cada criança e oriente-as a levá-lo para jogar com a família.

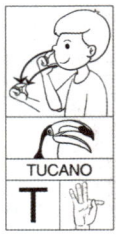

Jogo da memória com os animais da África

Materiais: *canetinhas coloridas; riscos das cartas do jogo (estão prontos na seção "encartes"); tesoura com ponta arredondada.*

Encartes:

Desenvolvimento

Multiplique os riscos das cartas referentes a esta atividade (ver seção "encartes"), de maneira que cada aluno receba um kit completo. Assim, ao final da atividade, as crianças podem levá-las para brincar com os familiares. Em sala de aula, solicite que os alunos organizem-se em duplas e brinquem somente com um jogo por equipe. Peça que pintem as gravuras e explique os sinais na LIBRAS dos nomes dos animais do continente africano contidos nas cartas. Oriente a turma a dispor as fichas sobre a mesa com as figuras viradas para baixo. Uma criança de cada vez deve virar duas, na tentativa de formar um par. Caso consiga, marca ponto, reserva as cartas e continua jogando. Senão, passa a vez ao colega e deixa as cartas no mesmo lugar. Vence o jogo o aluno que formar a maior quantidade de pares.

Brasil a todos os povos

Amplie a "leitura" de mundo das crianças, explicando-lhes as influências que as pessoas de outras nacionalidades exerceram sobre a formação cultural do nosso País

Eixos temáticos: *Artes Visuais, Matemática, Movimento, Música, Linguagens Oral e Escrita, Natureza e Sociedade e Identidade, e Autonomia*
Responsável: *Izildinha Houch Micheski*
Objetivos: *criar oportunidades para o letramento; colocar as crianças em contato com a diversidade de culturas que contribuíram para a formação do povo brasileiro; levar os alunos a pesquisar e conhecer a participação de seus antepassados nessa trajetória*
Idade: *a partir de 3 anos*
Conheça também: *o site www.tarsiladoamaral.com.br*

Ilustração: Shutterstock

Minha origem

Materiais: *canetinhas coloridas; cartolina colorida; cola branca; fotografias; gravura da tela* Operários, *de Tarsila do Amaral; lápis de cor; tesoura com ponta arredondada.*

desenhados. Pergunte à turma se encontraram na obra alguém que lembre um integrante da família, bem como quais das pessoas retratadas os impressionaram mais e por quê.

Desenvolvimento

Em uma roda de conversa, apresente às crianças a tela *Operários*, de Tarsila do Amaral. Permita que elas observem e façam uma leitura crítica sobre a diversidade de etnias e a riqueza de detalhes da pintura. Oriente os alunos a pesquisar entre seus familiares qual sua ascendência, questionando se todos os antepassados nasceram no Brasil, ou se alguns emigraram de outros países. Oriente-os a pesquisar sobre a história e como seus familiares chegaram ao Brasil e que contribuições trouxeram do país de origem, como a culinária, as músicas, as artes, as danças, os hábitos, os sotaques, as festas e as histórias que foram incorporadas à nossa tradição e fazem parte da cultura brasileira até os dias atuais. Estimule o olhar investigativo dos alunos para a obra de arte, levando-os a comparar a cor de pele, as expressões, a cor dos cabelos, o formato do rosto, entre outras características dos personagens

Produção artística

Depois de explorar todas as possibilidades de trabalho com a pintura, explique às crianças que elas farão uma releitura artística da obra. Para isso, dias antes da realização da atividade, solicite aos alunos que tragam fotos dos familiares para a escola. Tire cópia das fotografias e peça que a garotada as recorte, até a altura do busto. Depois, auxilie os alunos na reconstrução da tela através da colagem de cada representação. Oriente-os a desenhar e pintar os elementos de fundo. Após essa etapa, organize uma exposição para exibir os trabalhos da turma. Para essa ocasião, prepare uma lista com o nome de cada criança que participou da produção artística e coloque-a ao lado da obra. Crie um clima de cooperação e solidariedade para realizar essa tarefa, pedindo a participação de todos, e faça as intervenções quando necessário. Aproveite para trabalhar os sobrenomes e as origens dos alunos, com a escrita em letra bastão.

Povos do Brasil

morar no Brasil, como Portugal, Itália, Japão e outros. Trabalhe os nomes das nações na LIBRAS (contidos nas fichas) e permita que as crianças tenham a oportunidade de aprender e ampliar os conhecimentos da nova língua, que faz parte da cultura dos surdos. Auxilie os pequenos, também, na confecção de uma lista com a escrita coletiva de cada país cujos povos imigraram para o Brasil. Após as dinâmicas, organize a Festa das Nações na escola e convide as famílias que possuem parentes de outras nacionalidades para contribuir. Elas podem trazer objetos e roupas, preparar um delicioso prato típico, apresentar uma dança, contar uma história popular, ensinar a fazer uma peça artesanal ou uma brincadeira tradicional, entre outras possibilidades.

Desenvolvimento

Utilize o globo terrestre para explicar às crianças como ocorreu o processo de imigração no território brasileiro.

Para isso, multiplique as fichas dos países na LIBRAS (ver seção "encartes"), distribuindo-as para a turma. Explique a todos que nas cartinhas estão as bandeiras de alguns países, dos quais um grande número de pessoas veio

COMUNICAÇÃO

Cada momento, um sentimento

Valorize a afetividade, que desenvolve um papel significativo no processo de desenvolvimento e aprendizagem da criança

Materiais: *cartas com as expressões e cartas com as representações em LIBRAS (prontas na seção "encartes"); cola branca; papel-cartão; tesoura com ponta arredondada.*

Encartes

Eixos temáticos: *Natureza e Sociedade; Identidade e Autonomia; Artes Visuais; Matemática; Linguagens Oral e Escrita; Movimento*
Responsável: *Izildinha Houch Micheski*
Objetivos: *desenvolver a autoestima, valorizando os próprios sentimentos e os dos amigos; estimular a oralidade*
Idade: *a partir de 3 anos*

Desenvolvimento

Cole as cartas das expressões no papel-cartão e recorte-as. Em uma roda de conversa, mostre as cartinhas, deixe que as crianças as observem e falem sobre as expressões faciais ilustradas e os sentimentos que elas traduzem. Questione-as sobre quais momentos podem ser representados com cada um dos sentimentos. Conduza a atividade, mostrando uma cartinha por vez.

Depois de explorar o tema, coloque as cartas em uma caixa decorada e inclua na rotina escolar um momento para que as crianças, uma a uma, escolham uma cartinha para expor seu sentimento naquele dia, através da expressão oral. Incentive a verbalização das emoções, pois ela será importante para direcionar as intervenções. Para isso, utilize os registros que irão compor o relatório e a ficha descritiva dos alunos. Depois de observadas as cartinhas, mostre as cartas com os sinais representados na LIBRAS, ensinando os alunos a executar os sinais e explicando o significado dessa língua utilizada pelos surdos.

Dado dos sentimentos

Materiais: *cartas com as expressões e cartas com as representações em LIBRAS (prontas na seção "encartes"); cola branca; dado (encarte para montagem pronto na seção "encartes"); uma foto 3x4 de cada criança; lápis preto.*

Encartes:

Desenvolvimento

Cole o molde do dado em papel-cartão, recorte-o e dobre-o conforme orientações do encarte. Em cada face, cole uma carta de expressão. Reúna os estudantes em uma roda e explique que, um por vez, deve jogar o dado e observar a expressão que está desenhada na face virada para cima. Então, o aluno verbaliza em quais situações ele apresenta o sentimento representado e faz a representação na LIBRAS, conforme o sinal indicado na carta correspondente. Incentive a turma a comentar e a contar alguma história que despertou tal sentimento, enriquecendo os relato. Faça intervenções, considerando as crianças que têm dificuldade para se expressar oralmente.

Em tempos de inclusão

Utilize a história para criar dinâmicas que estimulem a aprendizagem e a comunicação na Língua de Sinais

Materiais: alfabeto na LIBRAS e cartas com as ilustrações da história (prontos na seção "encartes"); tesoura com ponta arredondada.

Encartes:

Eixos temáticos: Natureza e Sociedade, Linguagem Oral e Escrita, Movimento, Identidade e Autonomia
Responsável: Izildinha Houch Micheski
Objetivo: trabalhar a diversidade e a inclusão considerando as singularidades de cada criança, favorecendo a construção de diálogos e a comunicação
Idade: a partir de 3 anos

Uma história para fazer amigos

Numa escola parecida com tantas outras, havia chegado um aluninho novo e surdo. Seu nome era Marinho. Todos o receberam com alegria. Porém, o garotinho terminou seu dia bem triste, porque não entendia os combinados para brincar e acabava atrapalhando as brincadeiras.

Percebendo tudo, a professora, com muito carinho os tranquilizou e explicou que ela e o amiguinho surdo ensinariam a todos a Língua de Sinais, que era com ela que o Marinho se comunicava com as pessoas. Claro que Marinho ia, também, começar a aprender mais sobre a sua própria língua.

A professora iniciou ensinando o alfabeto em LIBRAS e cada um aprendeu a soletrar o seu nome e o dos demais. Ensinou

alguns cumprimentos, o nome de algumas brincadeiras e também alguns verbos simples, usados no dia a dia das crianças. Logo começaram a construir pequenos diálogos. Daí para frente, ninguém segurava aquela galerinha.

Passaram a se comunicar, a serem mais solidários e a fazer melhor o que a criança mais gosta de fazer, que é brincar, correr, comer e até passaram a se interessar pelos estudos.

Vejam só que incrível!

Até músicas sabiam cantar na Língua de Sinais.

Texto: Izildinha Houch Micheski

Contando a história

Desenvolvimento

Em uma roda de conversa, conte a história e explique para as crianças ouvintes que as pessoas surdas têm uma maneira diferente de se comunicar e uma língua própria, a LIBRAS. Através dela, eles podem conversar, contar histórias, responder a perguntas, opinar, estudar, frequentar uma universidade, ter uma profissão e uma vida social. Em seguida, apresente os sinais pertinentes a história. Retome também os sinais do alfabeto na LIBRAS e trabalhe-os diariamente. Depois de explorar o tema, prepare a representação teatral da história. Permita que os alunos escolham seus papéis e aqueles que a princípio, não se sentirem à vontade para

representar devem ser direcionados para outras contribuições.

Ampliação

Depois de contar a história e perceber que as crianças estão se apropriando dos sinais, amplie os diálogos. Oriente cada um a sinalizar uma frase, como: "bom dia", e ensine cada sinal. Faça o mesmo com outras frases que podem ser criadas pelas próprias crianças individual ou em duplas. Vá ampliando assim os diálogos para que as crianças aumentem seu repertório na LIBRAS e os incentive através de brincadeiras, jogos e interpretação de músicas folclóricas infantis.

Crianças cidadãs

Ensine os sinais sobre as necessidades básicas para a interação social

Materiais: *cartas (prontas na seção "encartes"); tesoura com ponta arredondada.*

Encartes:

Eixos temáticos: *Natureza e Sociedade, LIBRAS*
Responsável: *Izildinha Houch Micheski*
Objetivos: *viabilizar a comunicação sem barreiras entre surdos e ouvintes; ensinar alguns sinais básicos; trabalhar questões de valores para que as convivências sejam menos conflituosas*
Idade: *a partir de 3 anos*

Desenvolvimento

Ensine os sinais básicos do dia a dia, como ir ao banheiro, beber água, tomar banho, dormir, escovar os dentes, comer, respirar, pentear-se, rir, chorar, acordar, beber, brincar, brigar, pedir desculpas, pedir por favor, pedir licença, oi, tchau, tudo bem, boa tarde, bom dia, boa noite, estudar, não poder, etc.

Para isso, utilize os recursos oferecidos pelas cartinhas (prontas na seção "encartes") e peça que os alunos, em duplas, façam uma dramatização utilizando os sinais aprendidos nessa sugestão, podendo incorporar outros já conhecidos. Oriente também a construção de textos escritos usando essas expressões.

BOM DIA
B

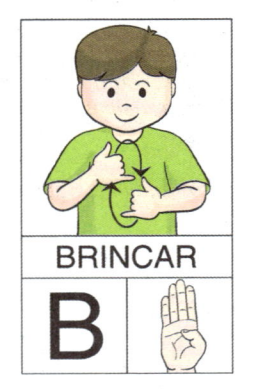

BRINCAR
B

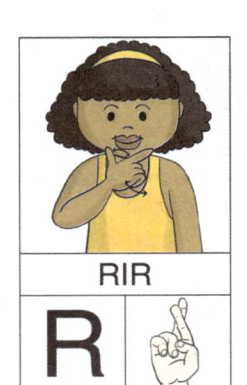

RIR
R

COM LICENÇA
C

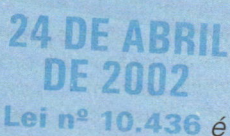

24 DE ABRIL DE 2002
Lei nº 10.436 é regulamentada, reconhecendo a LIBRAS como meio de comunicação oficial e legal no País

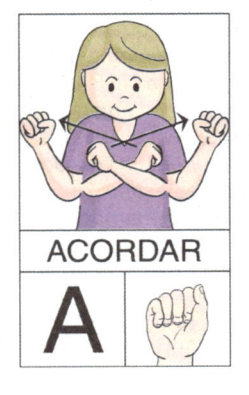

ACORDAR
A

TUDO BEM
T

No mundo da imaginação

Contos clássicos, como *Chapeuzinho Vermelho*, entre outros, estimulam, de forma lúdica e prazerosa, a aprendizagem da Língua de Sinais

Materiais: *cartas da história da Chapeuzinho Vermelho (prontas na seção "encartes"); tesoura com ponta arredondada.*

Encartes:

DE REPENTE SURGE O LOBO E PERGUNTA EM QUE LUGAR ELA VAI. CHAPEUZINHO VERMELHO ESPANTADA RESPONDE QUE IA LEVAR DOCES PARA A VOVÓ.

Eixos temáticos: *Natureza e Sociedade, LIBRAS, Linguagens Oral e Escrita*
Responsável: *Izildinha Houch Micheski*
Objetivos: *desenvolver a comunicação e o letramento; trabalhar a elaboração do aspecto simbólico, a ética, a socialização e a construção da escrita*
Idade: *a partir de 3 anos*

Desenvolvimento

Recorte o grupo de cartinhas com figuras dos personagens do conto *Chapeuzinho Vermelho*, com cenas da história e sua representação na LIBRAS.

Em seguida, ensine cada sinal, as expressões que se fizerem necessárias e conte a história, mostrando as ilustrações (veja seção "encartes").

Multiplique antecipadamente as cartas da história contada e distribua à turma, para que cada criança seja contemplada dentro do seu grupo ou dupla.

Oriente a garotada a arrumar essas cartinhas conforme as sequências que aparecem na história e incentive a dramatização.

Ampliação

Trabalhe a escrita coletiva do título do conto e a lista dos nomes dos personagens. Faça com as crianças a reescrita coletiva da história e aborde o perfil de cada personagem. Multiplique o texto em tiras para que a turma, dividida em duplas, reconstrua a história.

Ilustração: Shutterstock

DATAS E PERSONAGENS

Foto: Shutterstock

Os indiozinhos na LIBRAS

Desenvolvimento

Ensine às crianças os sinais na LIBRAS para a música Os Indiozinhos, apoiado na letra da música e norteando-se pelas cartas disponíveis na seção "encartes", que mostram a sequência da música.

Prepare a escrita da música, em letra bastão grande, dando um espaçamento considerável entre as linhas e entre as palavras. Cada frase deve ser trabalhada separadamente, para facilitar o desenvolvimento e a aprendizagem dos sinais em cada uma delas. Uma vez aprendidos os sinais correspondentes a cada parte escrita, posicione as crianças em duplas ou trios. Elas devem executar os sinais em série para você fotografar cada etapa.

Depois de registrar cada pose, escaneie as fotos de maneira que todos recebam material suficiente para reconstruir a música em um livrinho. Peça que os alunos colem ou escrevam uma frase da letra da música do lado esquerdo e, do lado direito, coloquem a foto correspondente. Esse procedimento deve ser repetido para todas as frases e imagens, até que a música esteja completa. Trabalhe, coletivamente, o nome da música e peça para os alunos identificarem suas produções, escrevendo também seus nomes.

Oriente-os na montagem do livrinho, permitindo que eles se arrisquem na tentativa de organizar a sequência das folhas. Feito isso, poderão colá-las para finalizar. Lembre-se sempre dos registros para não perder os detalhes sobre a observação de como a criança constrói os seus saberes.

Esses livrinhos, juntamente às demais produções, podem ganhar espaço e importância em uma mostra extensiva aos familiares, criando, assim, oportunidades para que se fortaleçam os vínculos na construção da aprendizagem da criança. Isso é muito saudável para o desenvolvimento cognitivo e para o fortalecimento da autoestima dos pequenos, pois, assim, estarão mais preparados para se expor às novas possibilidades de aprender.

O que o coelho gosta de comer?

Desenvolvimento

Para marcar a celebração da Páscoa, ensine para os alunos os numerais de 1 a 13 na LIBRAS. Quando se certificar de que todos se apropriaram desse conhecimento, multiplique o encarte do ligue-ligue, que está na seção "encartes", e entregue um para cada criança. Permita que observem o desenho, para que reconheçam os numerais trabalhados anteriormente. Questione a turma sobre o que eles acham que o coelhinho gosta de comer. Então, oriente-os a ligar os pontos para que descubram qual é a comida favorita do bichinho.

Após essa etapa, disponibilize lápis de cor e canetinhas e solicite que pintem o desenho. Para finalizar, peça que o colem no caderno.

Vamos ao circo?

de Sinais, ensinando para a turma os sinais na LIBRAS disponibilizados nas cartas. Após o jogo, reaproveite o material para montar um cantinho dos jogos.

Desenvolvimento

Comemore o Dia do Circo com um jogo da memória temático. Antes de iniciar a atividade, organize a turma em grupos de cinco alunos. Tire cópias das cartas do jogo, que estão na seção "encartes", e entregue um conjunto para cada equipe. Então, ensine à criançada a dinâmica do jogo da memória. Oriente os alunos a dispor as fichas sobre a mesa com as figuras viradas para baixo. Então, explique que cada um, na sua vez, deve virar duas cartas e observar se são iguais.

Em caso afirmativo, a criança separa o par e marca um ponto. Mas, se as cartas forem diferentes, o participante deve recolocá-las no mesmo lugar e passar a vez ao colega. Vence o jogo aquele que formar a maior quantidade de pares.

Antecedendo a dinâmica, converse com as crianças sobre os personagens circenses desenhados nas cartas. Pergunte se já tiveram a oportunidade de assistir à apresentação de um mágico, de um trapezista ou de outros artistas. Trabalhe, também, a Língua Brasileira

Adorável palhacinho

e distribua uma cópia do jogo (disponível na seção "encartes") para cada criança e solicite que encontre a palavra trabalhada e conte quantas vezes ela aparece.

Ao término da atividade, oriente as crianças na pintura do desenho, acrescentando detalhes e cores que mais as agradam.

Desenvolvimento

Ensine os sinais na LIBRAS que formam a palavra palhaço e trabalhe a construção coletiva da escrita dessa palavra. Em seguida, multiplique

Caipirinhas na trilha

Desenvolvimento

As festas juninas também são uma ótima oportunidade para ampliar os conhecimentos na LIBRAS. Divida a classe em grupos de quatro alunos e multiplique o tabuleiro que está na seção "encartes" de maneira que cada equipe tenha um. Peça às crianças que tragam de casa, na data estipulada, tampas de garrafa Pet. Recolha-as e, no dia da dinâmica, distribua quatro delas, de cores variadas, para cada grupo. Explique que elas serão utilizadas para representar os pinos. Para confeccionar o dado, use uma caixa de papelão. Encape-a com o papel kraft, cole três círculos de papel espelho em três faces e deixe três lados em branco. Já que os espaços do tabuleiro estão delimitados com os números de 1 a 9 na LIBRAS, ensine os sinais correspondentes e deixe que as crianças decidam quem inicia o jogo. Este joga o dado e, se ele marcar uma bolinha, anda uma casa, movimentando sua tampinha conforme os avanços da trilha. Caso sobressaia algum dos lados em branco, passa a vez ao colega. Vence o jogo quem chegar primeiro ao numeral 9. A cada casinha conquistada, o aluno faz o sinal do número que a identifica. Com essa atividade, é possível interagir na construção do conhecimento, ampliar os recursos de comunicação, oportunizar o contato com uma nova língua e desenvolver a construção do conhecimento lógico-matemático.

Sinalização da Festa

Desenvolvimento

Recorte as ilustrações referentes a esta atividade que estão na seção "encartes", entregue-as às crianças e oriente a pintura. Trabalhe com elas os sinais na LIBRAS contidos nos moldes e explique que as placas devem ser usadas para identificar as barracas na festa junina, como as de pipoca, de milho, de cachorro-quente, de pescaria, entre outras. As figuras podem ser coladas no centro de um retângulo de papel-cartão colorido, deixando uma moldura, para destacar. Com isso, é possível ampliar a comunicação entre os ouvintes e a cidadania surda, promovendo, assim, a interação social.

ENCARTES

AMARELO

A

MILHO

M

ABAJUR

A

SIGA O CAMINHO DE CADA LETRA E DESCUBRA QUAL PROFISSÃO APARECERÁ.

Elaboração: Roberto Cardoso

ENCONTRE A PALAVRA QUE SE REPETE MAIS VEZES.

BALA   BALEIA   BOLA   BOLSA

Colaboração: Roberto Cardoso

ESCREVA NO CENTRO DO DIAGRAMA AS LETRAS QUE MAIS SE REPETEM EM CADA UM DELES. ASSIM, VOCÊ DESCOBRIRÁ O NOME DO ANIMAL ABAIXO.

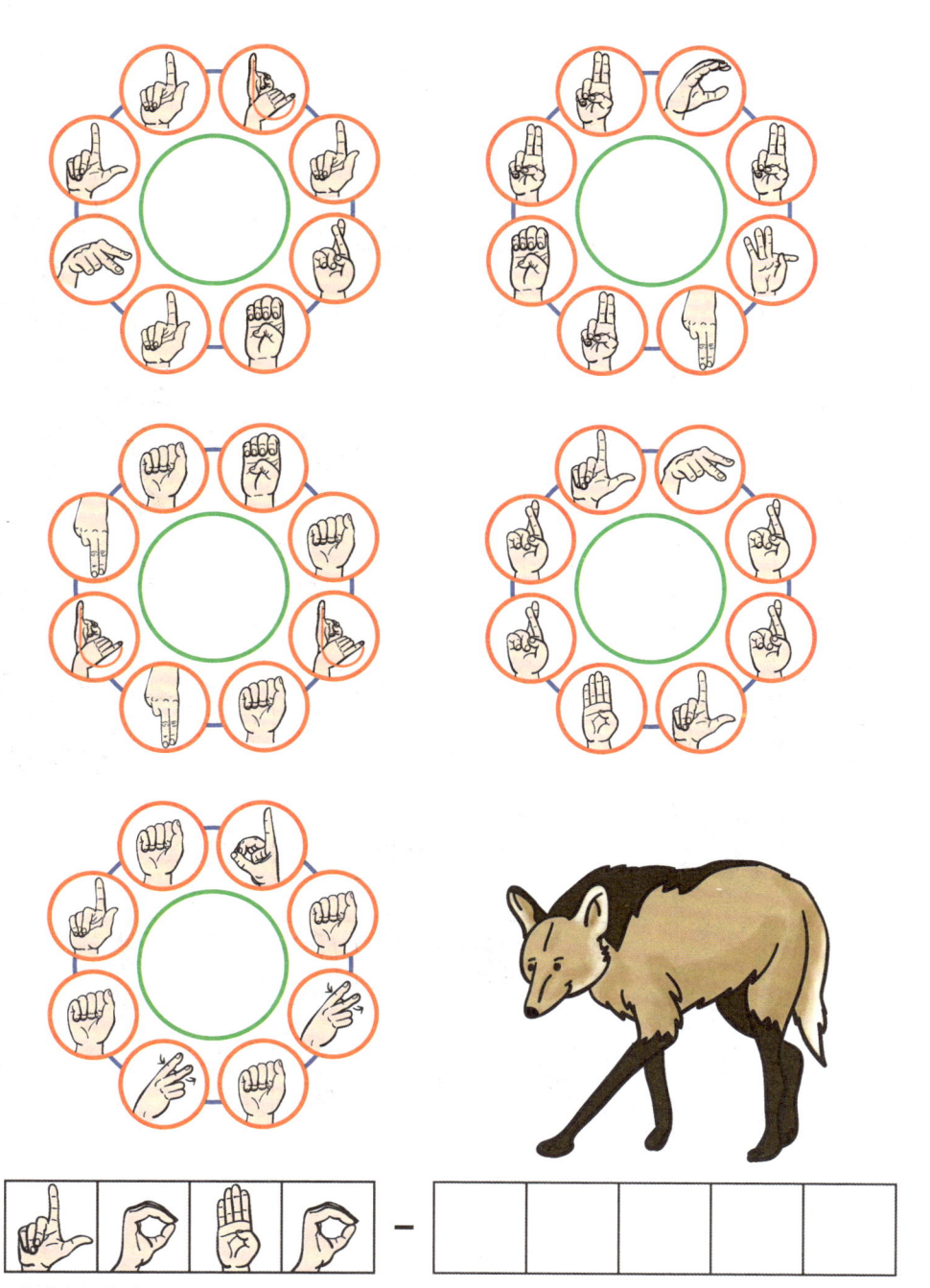

elaboração: Roberto Cardoso

COMPLETE OS QUADRADOS COM OS NOMES DOS ANIMAIS, PINTE-OS E CIRCULE OS DE ESTIMAÇÃO.

Colaboração: Roberto Cardoso

48

AMPLIANDO CONHECIMENTOS:
OBSERVE AS FIGURAS E COMPLETE AS LACUNAS.

aboração: Roberto Cardoso

AMPLIANDO CONHECIMENTOS: CONTE OS DESENHOS, REPRESENTE OS NUMERAIS E, ENTÃO, DÊ O RESULTADO FINAL.

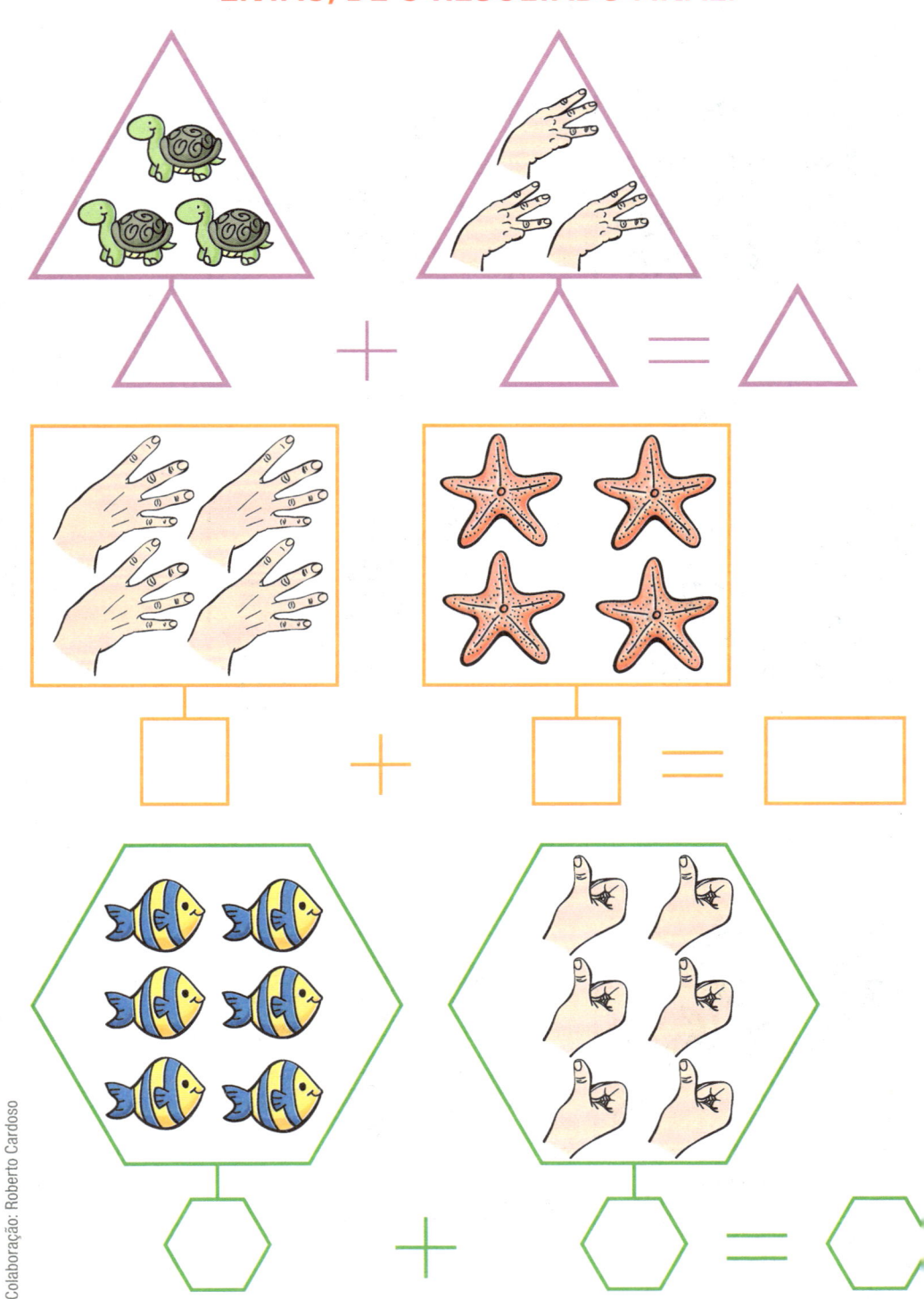

Colaboração: Roberto Cardoso

DESCUBRA QUANTAS VOGAIS E CONSOANTES APARECEM NAS PALAVRAS ABAIXO E REGISTRE OS NUMERAIS CORRESPONDENTES.

PALAVRAS	VOGAIS	CONSOANTES	TOTAL

aboração: Roberto Cardoso

SOME OS CÍRCULOS SEGUINDO UM CAMINHO DE CADA VEZ. O BICHINHO QUE SOMAR O MENOR NÚMERO GANHARÁ O DOCE. QUEM SERÁ?

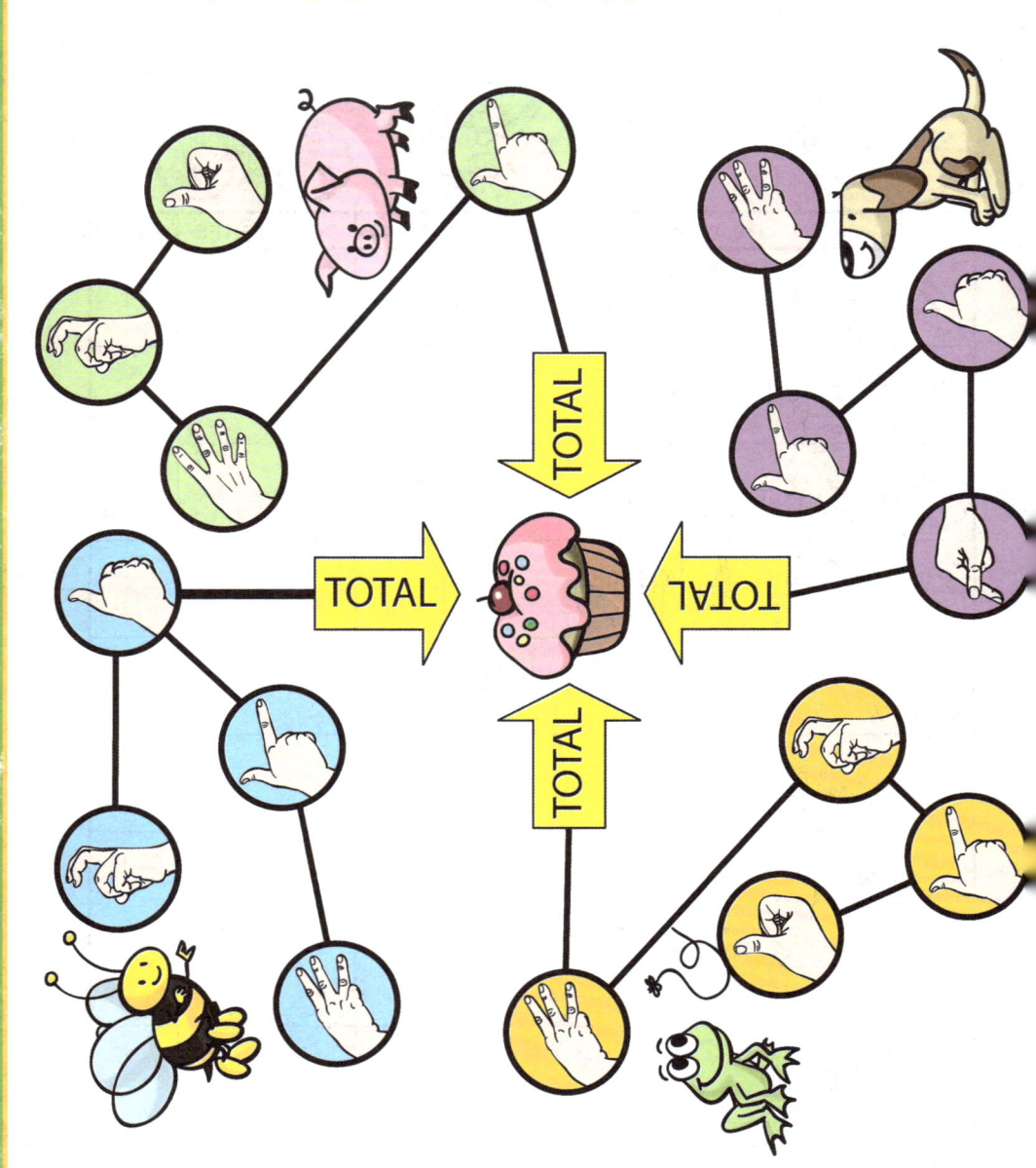

DESEMBARALHE AS LETRAS E
DESCUBRA OS NOMES DAS FRUTAS.

aboração: Roberto Cardoso

LIGUE OS DESENHOS AOS SINAIS. DEPOIS, QUE TAL PREPARAR UMA DELICIOSA SALADA DE FRUTAS COM OS COLEGAS E A PROFESSORA?

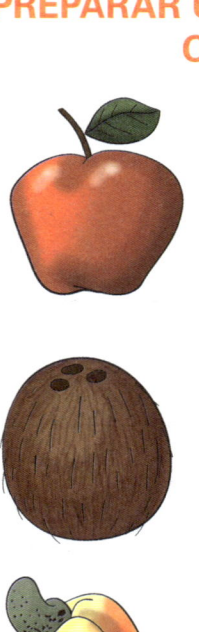

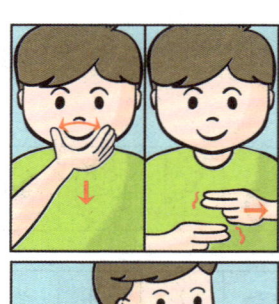

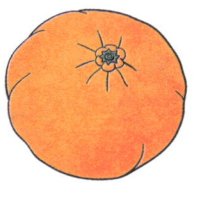

Colaboração: Roberto Cardoso

OBSERVE O QUEBRA-CABEÇA E ASSOCIE AS CORES E LETRAS. ENTÃO, FORME PALAVRAS E ESCREVA-AS NAS LINHAS ABAIXO.

_____   _____

_____   _____

_____   _____

O SUDOKU É UM DIVERTIDO PASSATEMPO QUE DESENVOLVE O RACIOCÍNIO. ESCREVA NOS ESPAÇOS EM BRANCO OS NUMERAIS DE 1 A 9, OBEDECENDO À SEGUINTE REGRA: CADA NUMERAL SÓ PODE APARECER UMA VEZ EM CADA LINHA, CADA COLUNA E NOS QUADRINHOS 3 X 3.

Consultoria: Roberto Cardoso

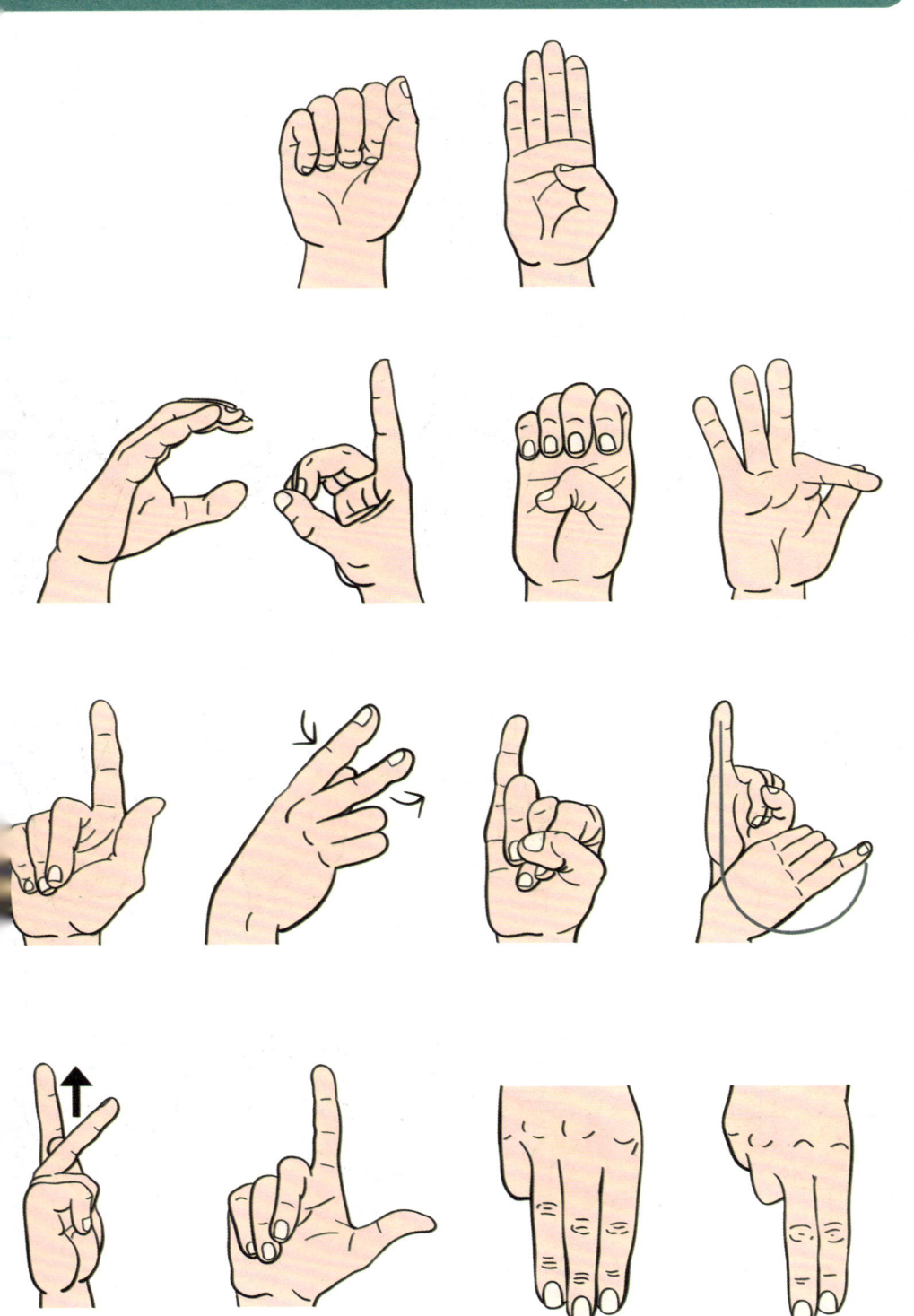

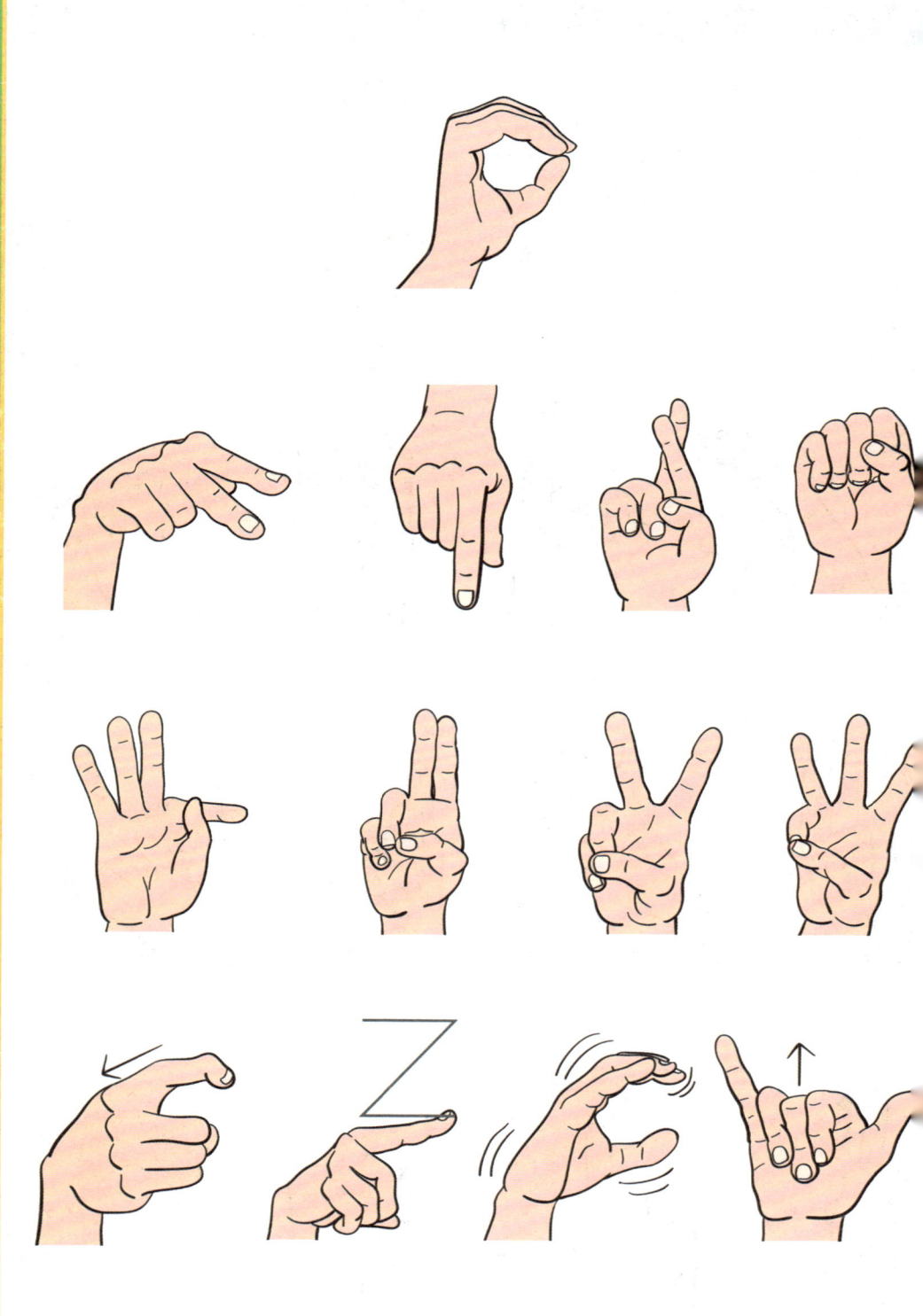

IRMÃ

IRMÃO

BEBÊ

VOVÓ

VOVÔ

VOCÊ

MEU NOME É

EU TENHO

MEU BICHO DE ESTIMAÇÃO

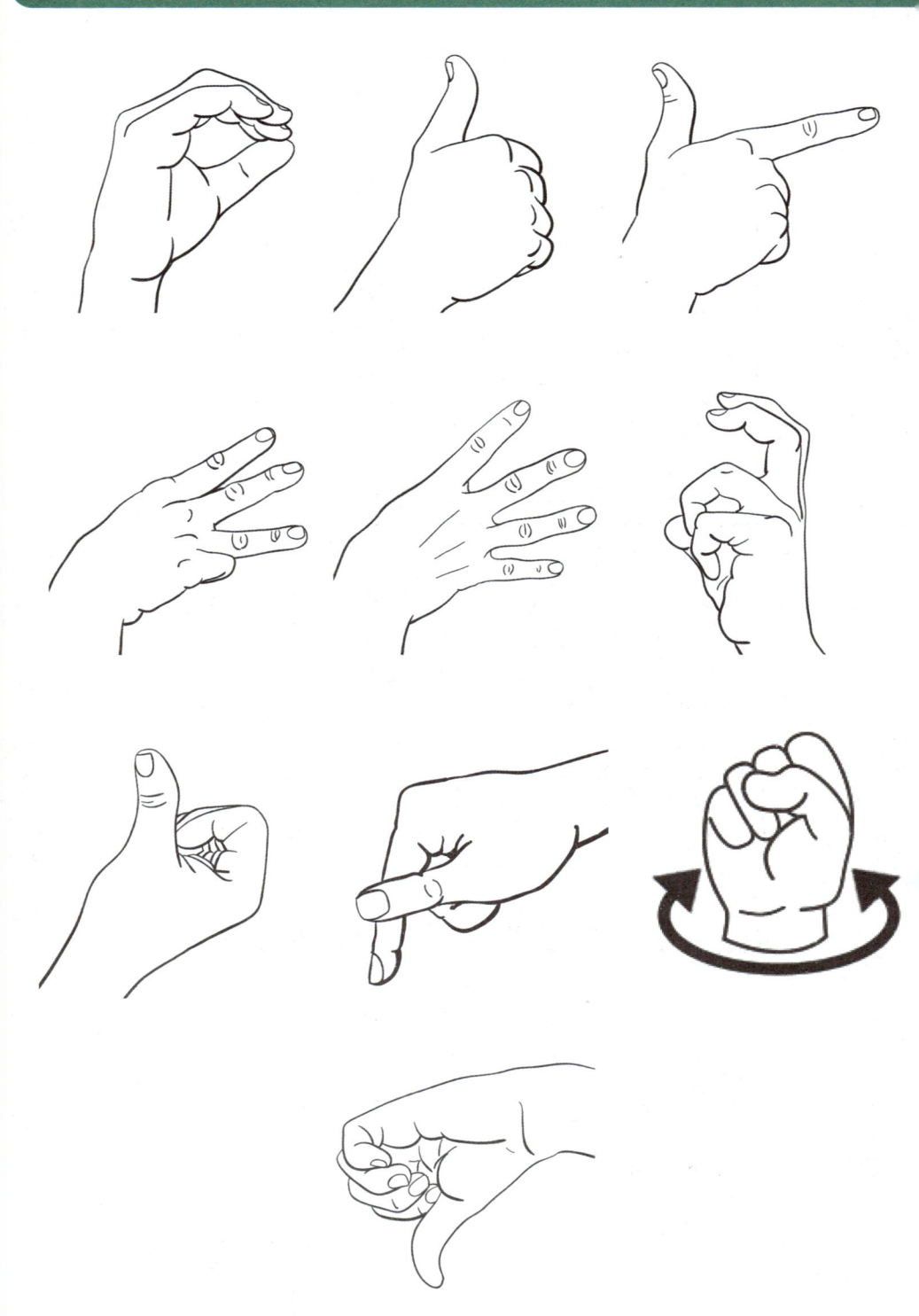

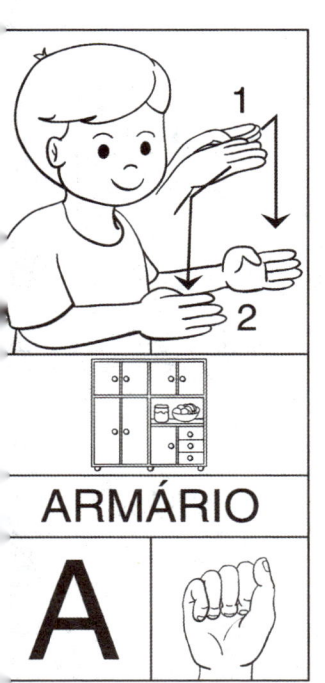

ARMÁRIO
A

BANHEIRO
B

BERÇO
B

ESPELHO
E

SALA
S

PORTA
P

CADEIRA

C

CAMA

C

VASO

V

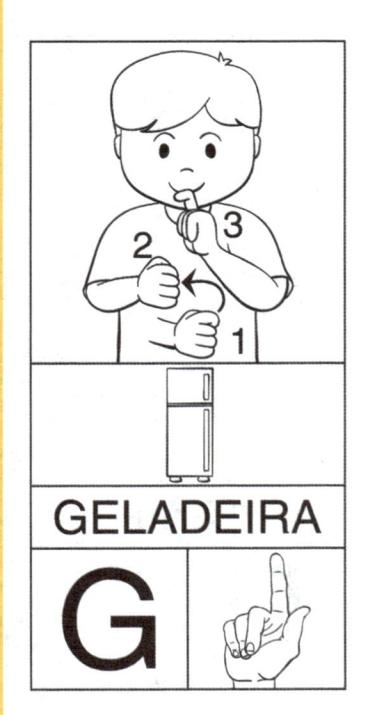

GELADEIRA

G

FOGÃO

F

CASA

C

CHUVEIRO

C

COZINHA

C

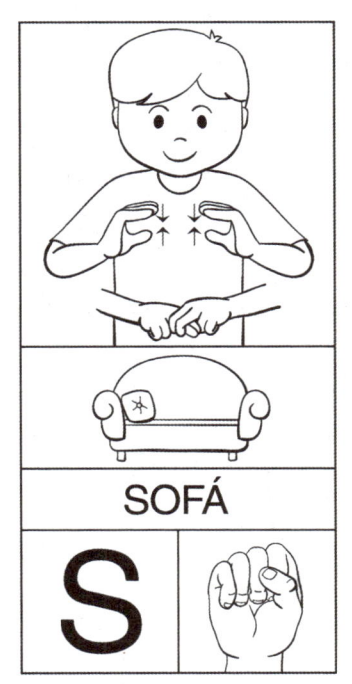

SOFÁ

S

ESTANTE

E

JANELA

J

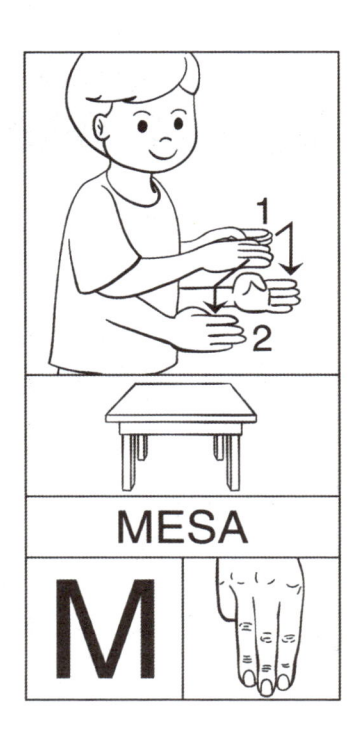

MESA

M

GUARDA-ROUPA

G

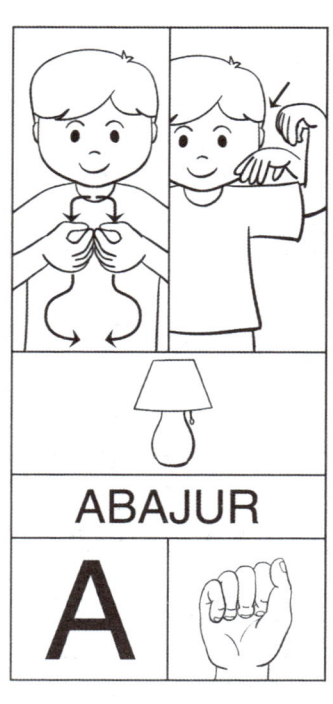

ABAJUR

A

PIA DE BANHEIRO

P

A

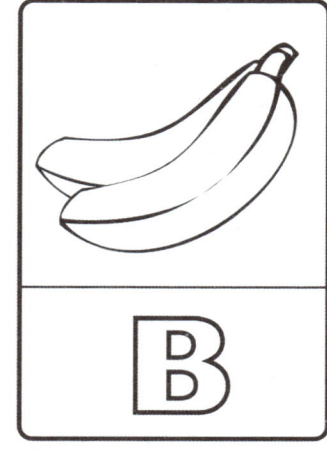

B

C

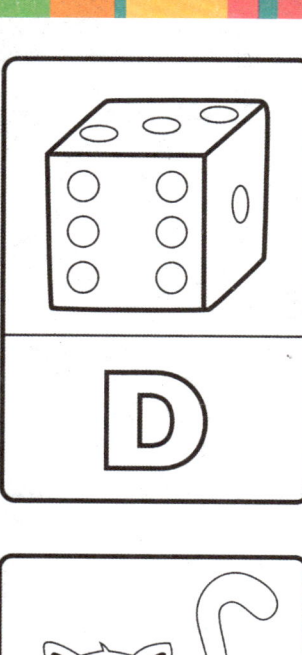

D

E

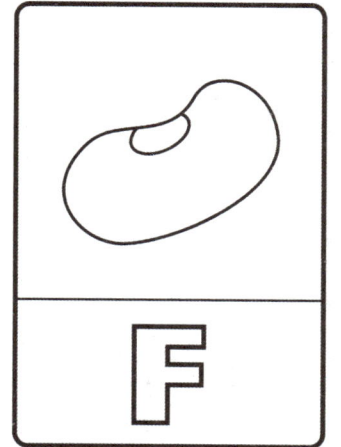

F

G

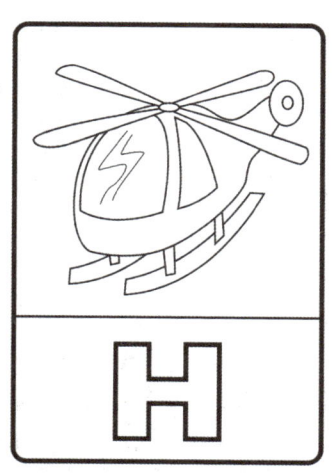

H

I

J

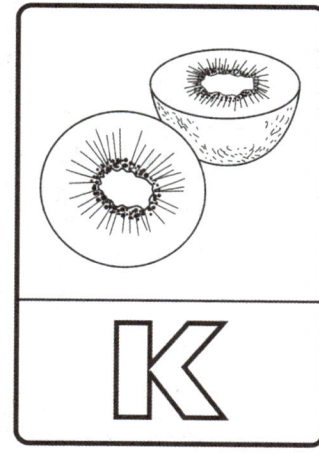

K

L

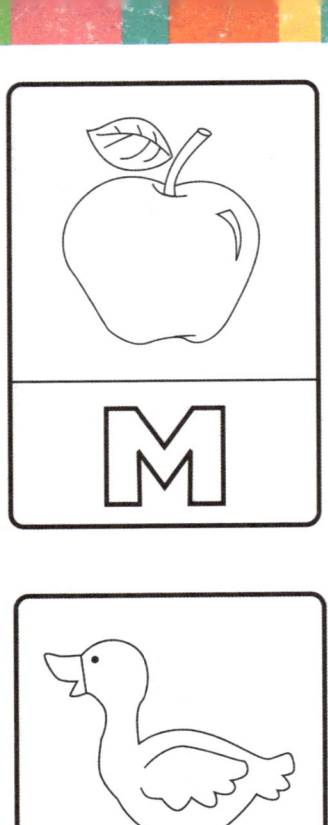

M

N

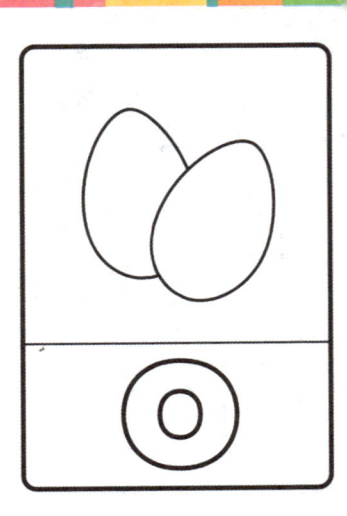

O

P

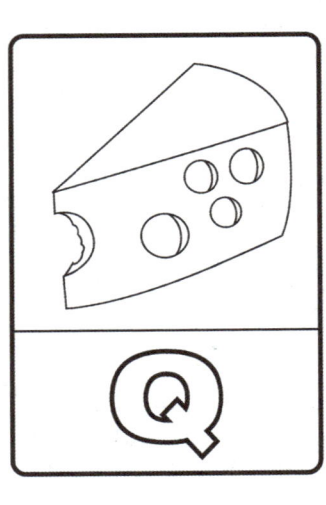

Q

R

S

T

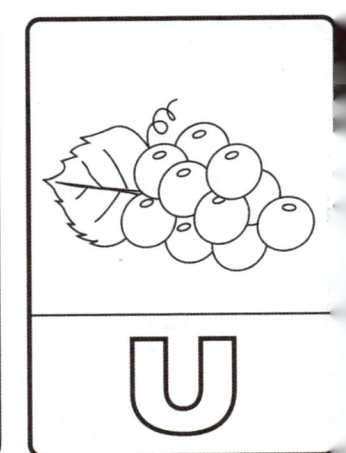

U

V

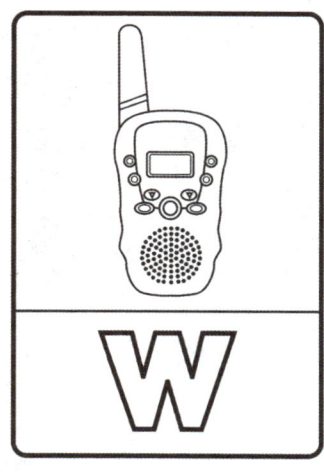

W

X

Y

Z

CARTAS DO PROJETO "ÁLBUM SANFONADO", DA PÁGINA 22

A

B

C

D

E

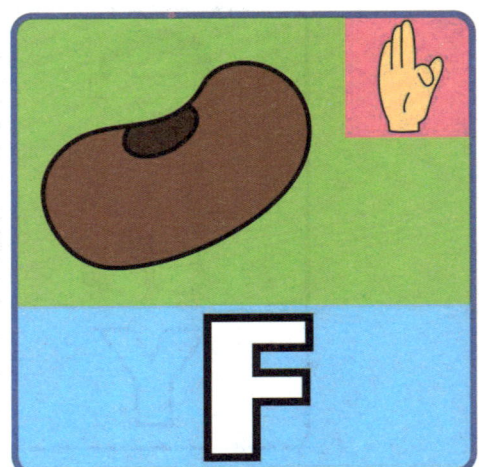

F

G

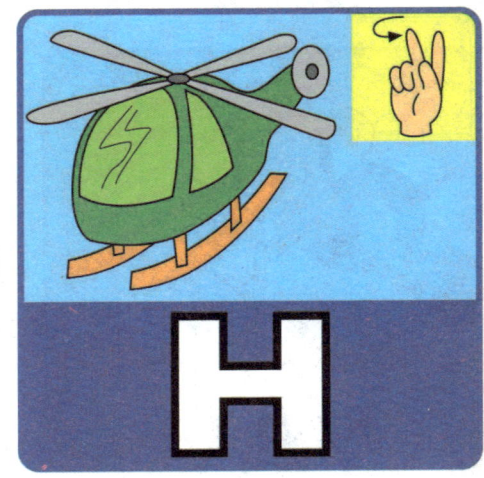

H

I

J

K

L

M

N

O

P

Q

R

S

T

U

V

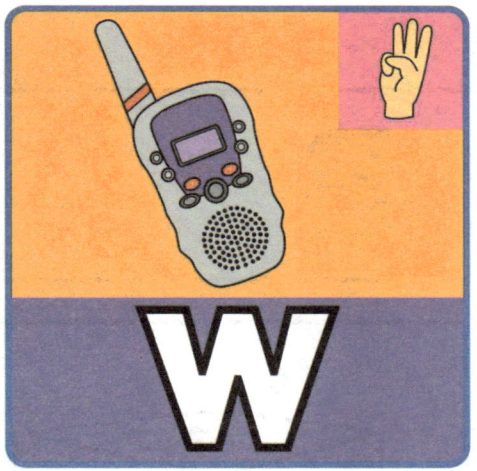

W

X

Y

Z

A

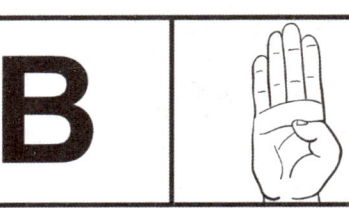

B

C

D

E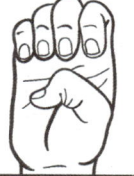

F

G

H

I

J

K

L

M

N

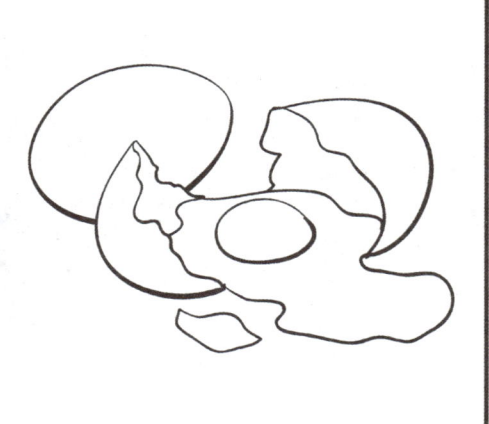

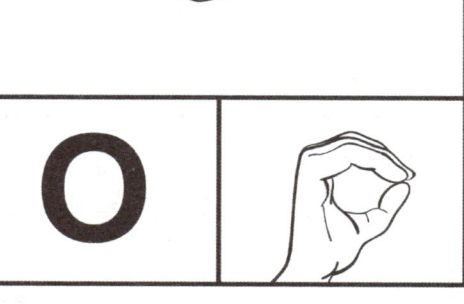

O

P

Q

R

S

T

U

V

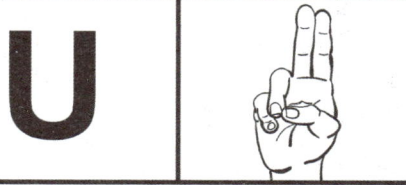
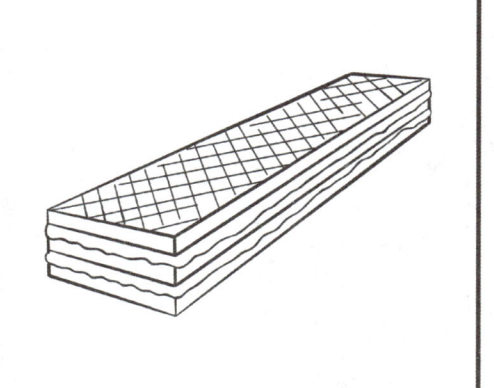

W

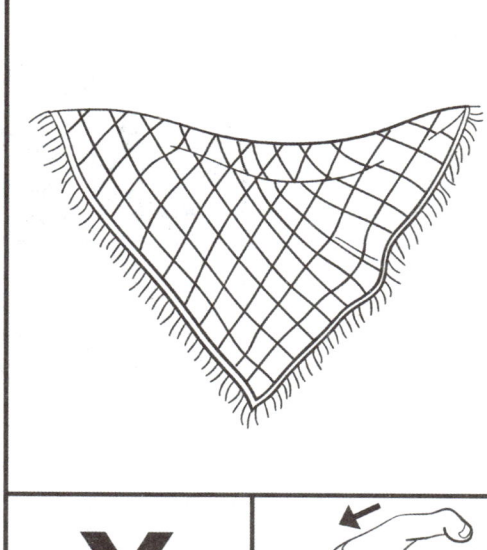

X

Y

Z

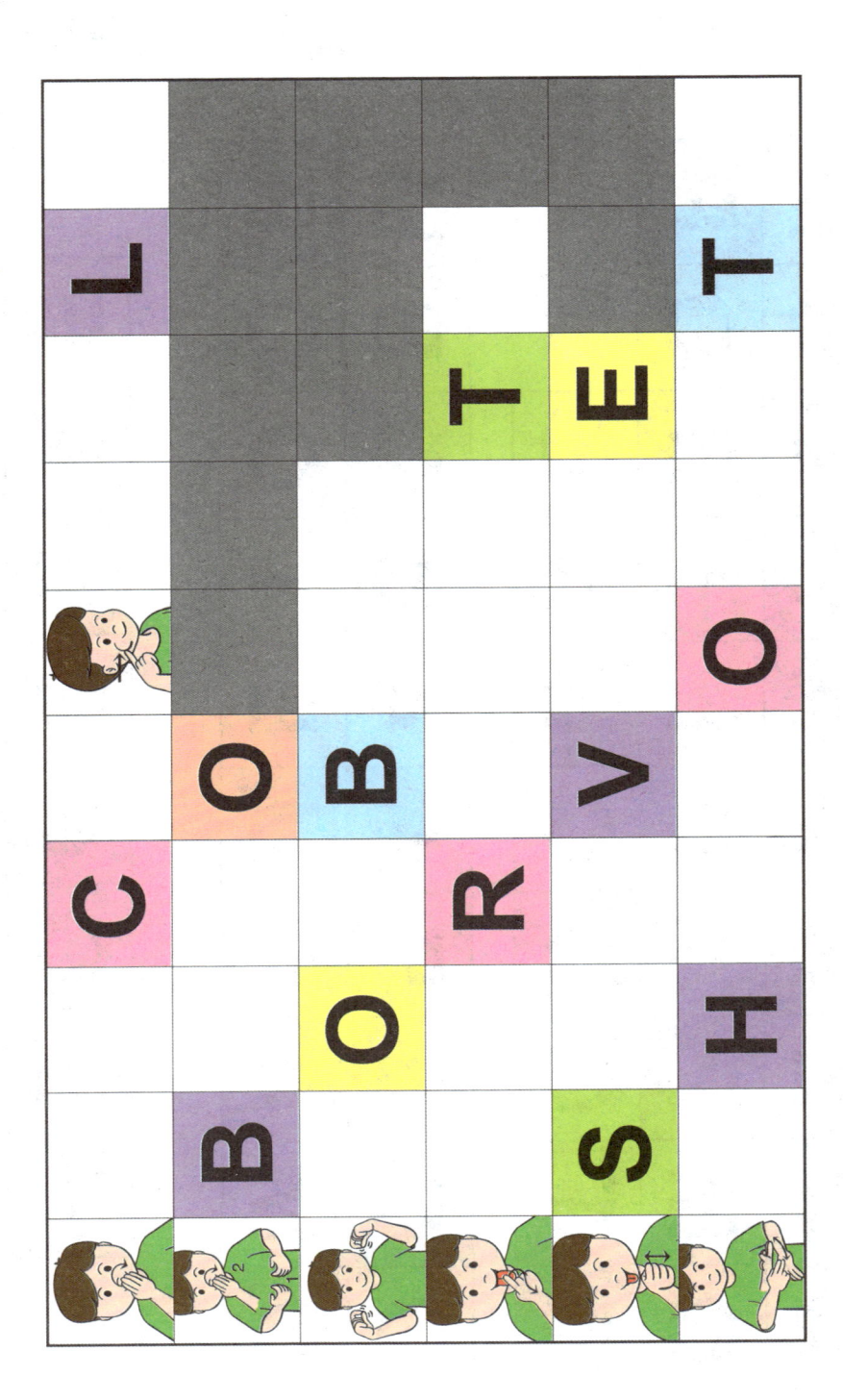

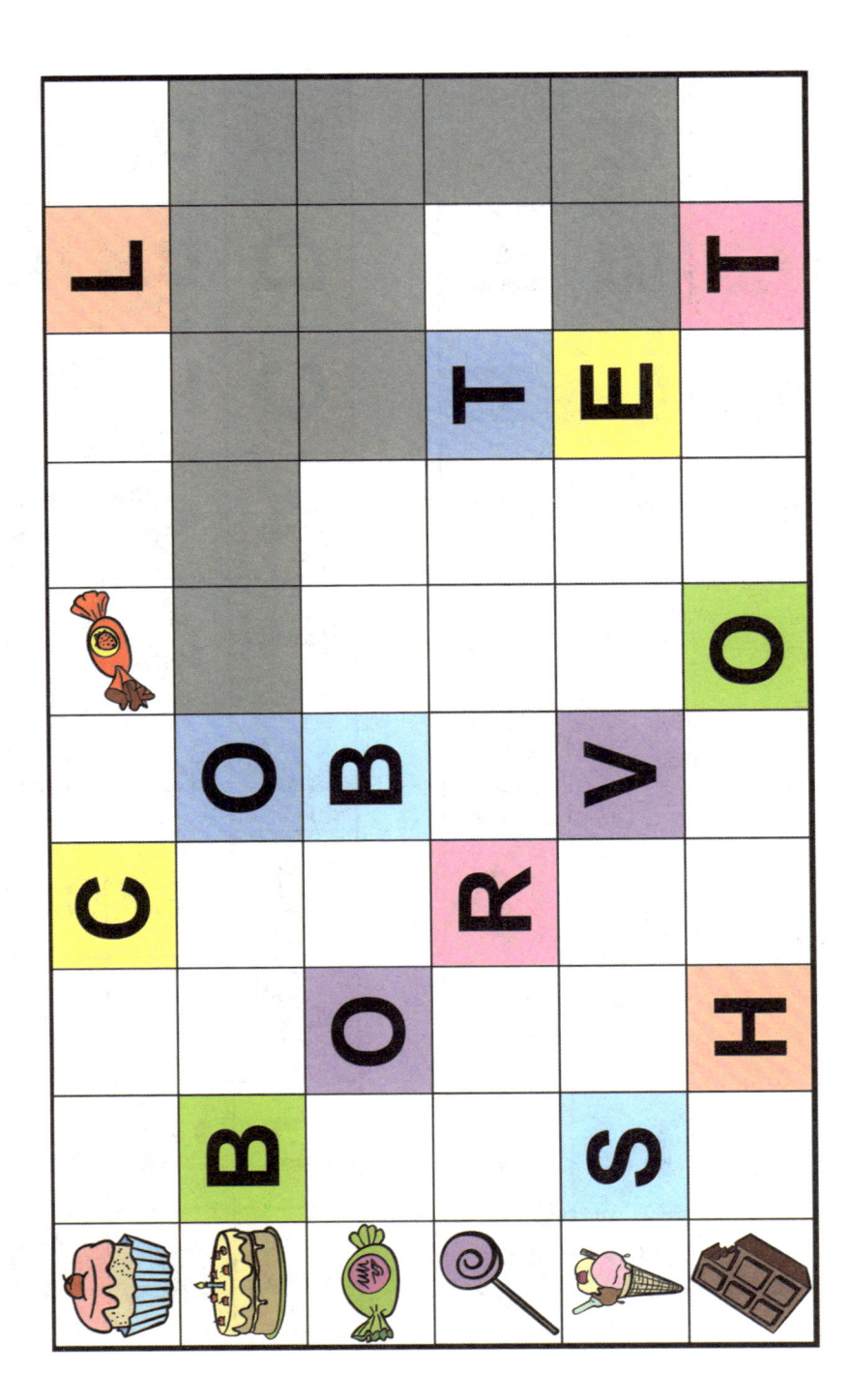

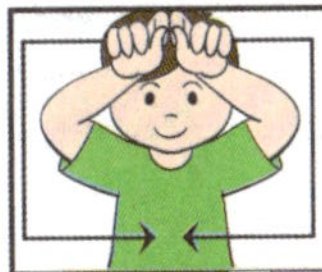	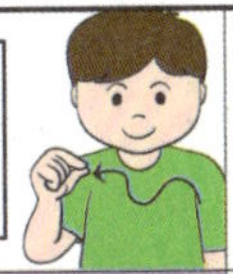		O		S				
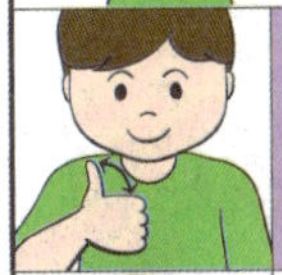	C		N						
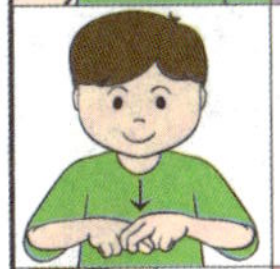		A			I		A		
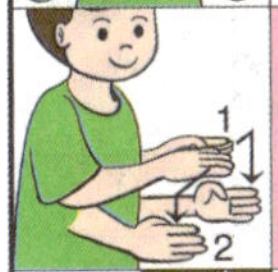	M			A					
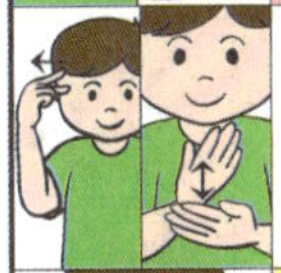		S		U			N		
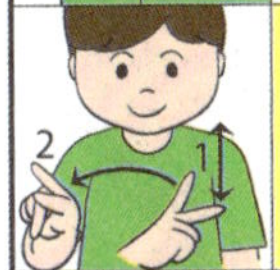	P				E			O	
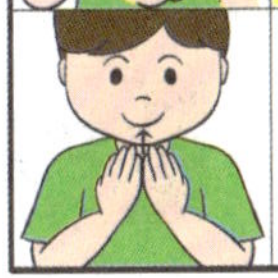		A		C					

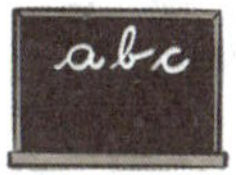		O		S						
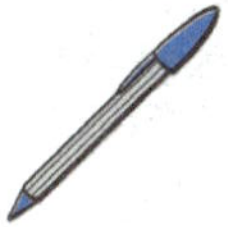	C		N							
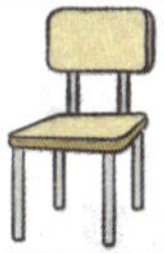		A			I		A			
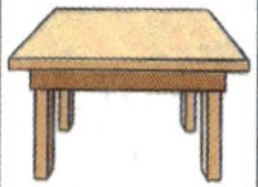	M			A						
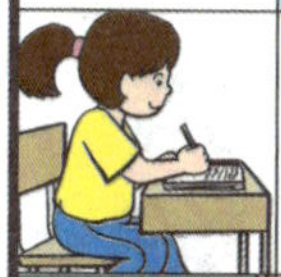		S		U			N			
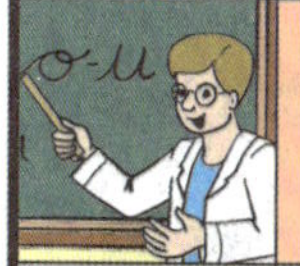	P				E			O		
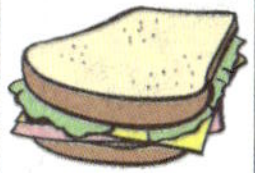		A		C						

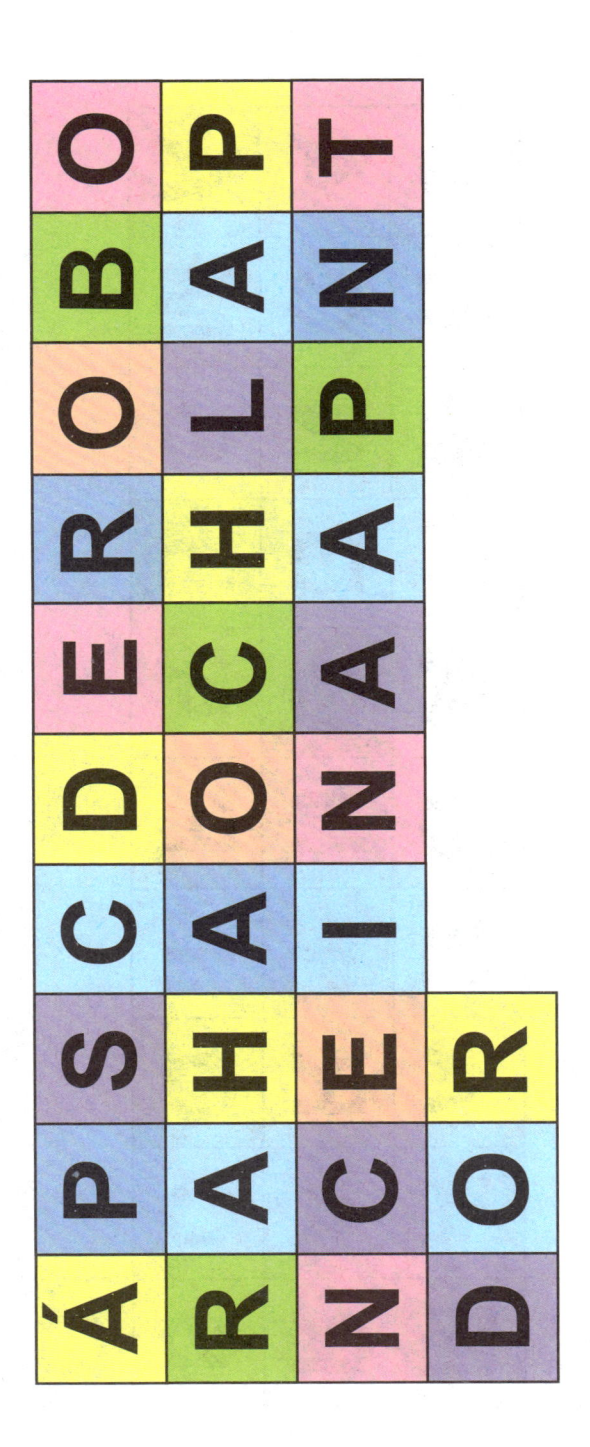

N	C	E	I	N	A	A	P	N	T
D	O	R							

M	A	A	B	O	A	S	L	L	V
R	A	R	I	H	O	B	N	C	A
S	C	O	I	P	A	U	S	M	A
Õ									

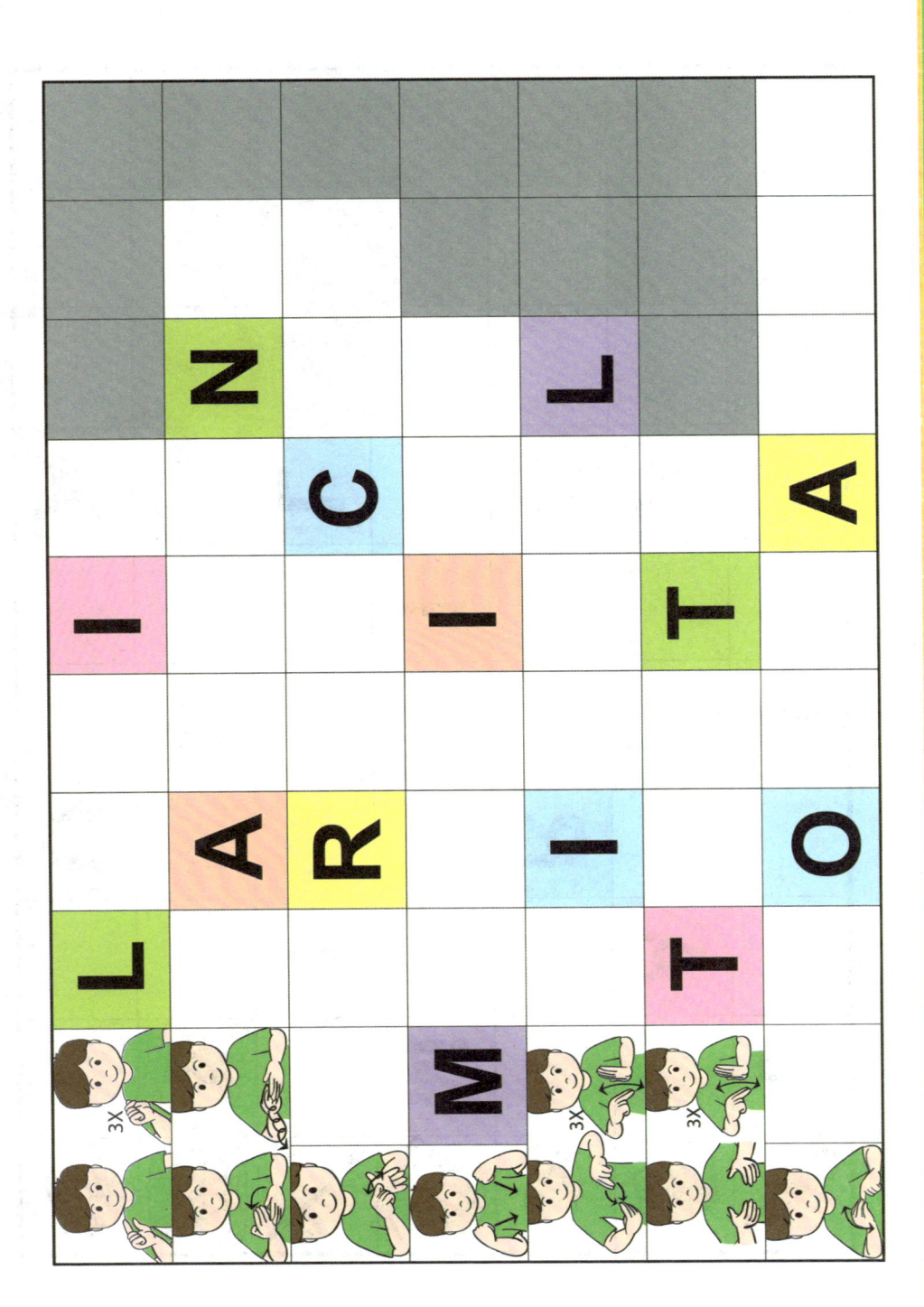

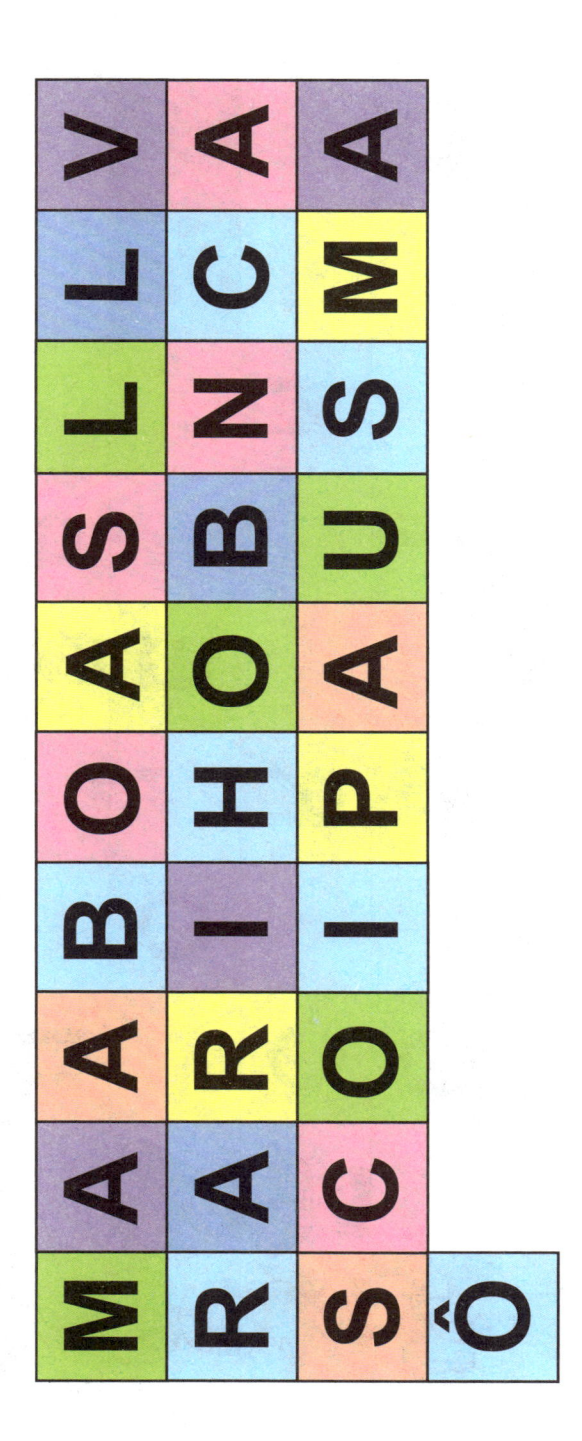

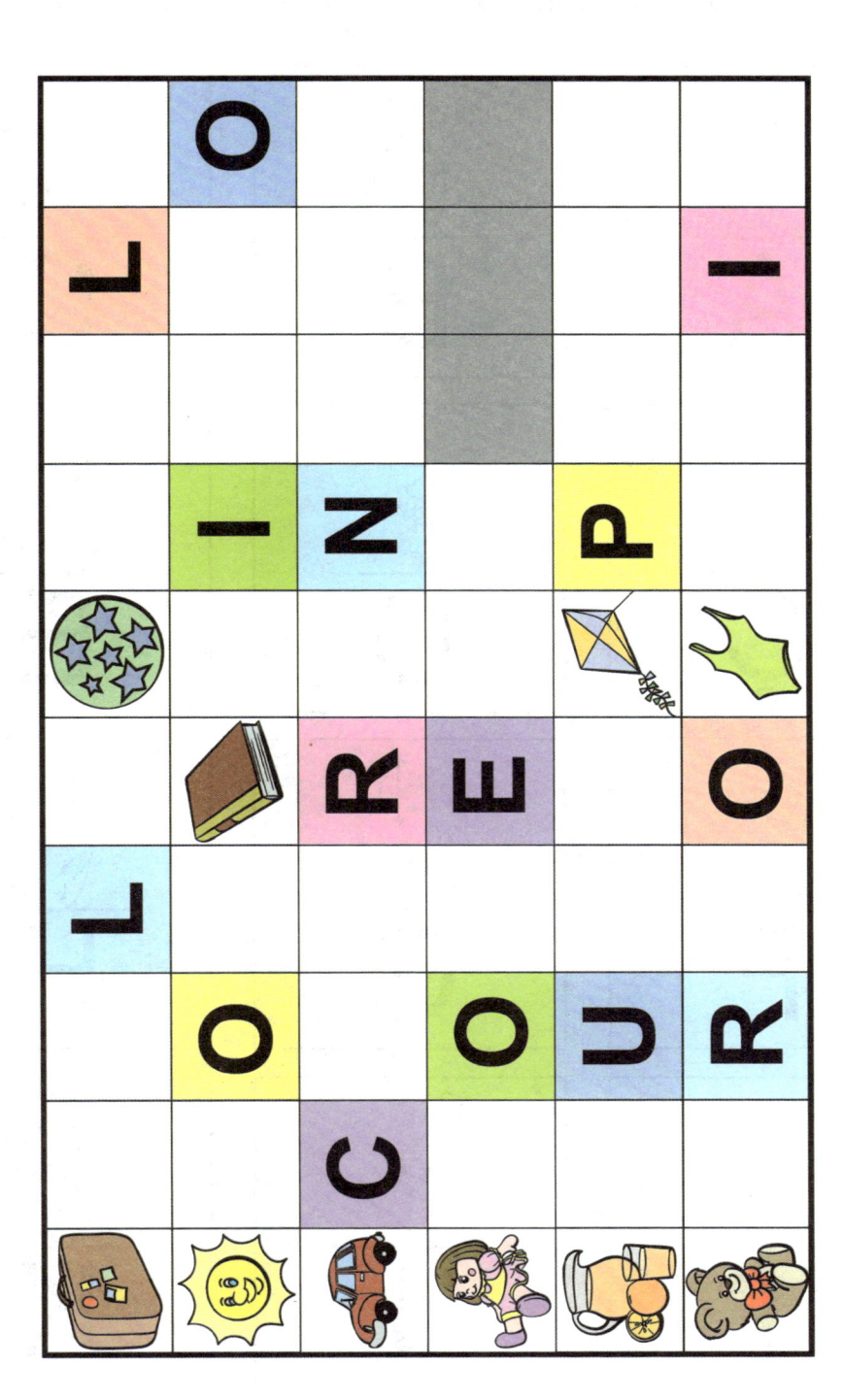

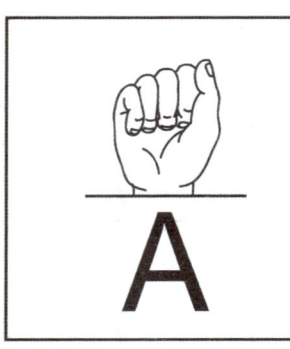
A

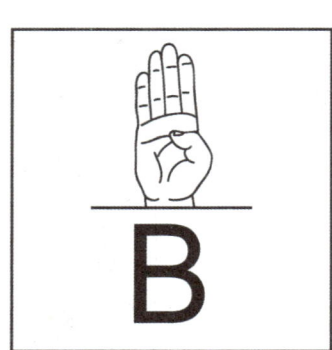
B

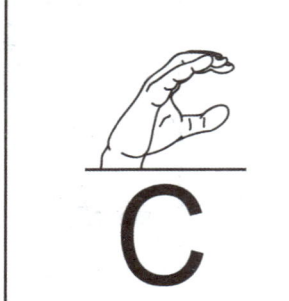
C

Ç

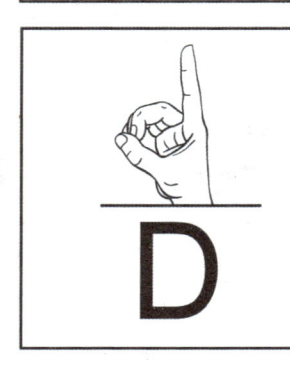
D

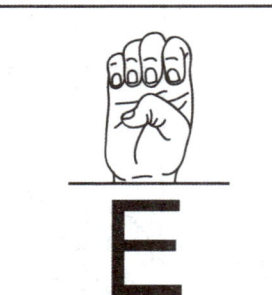
E

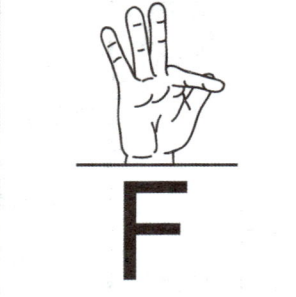
F

G

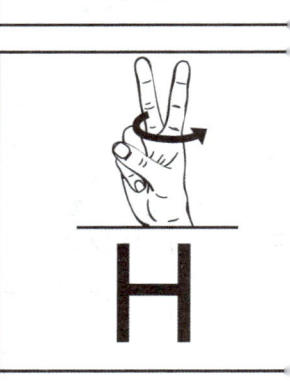
H

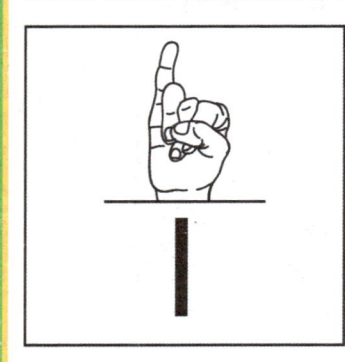
I

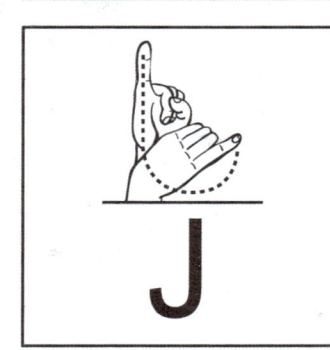
J

K

L

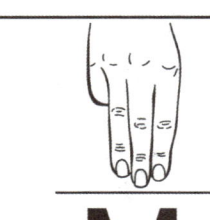

M

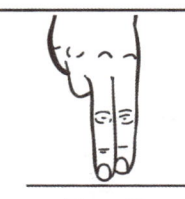

N

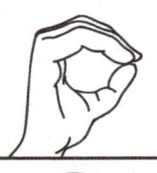

O

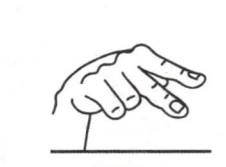

P

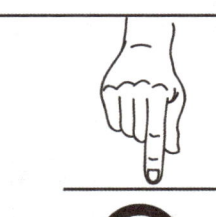

Q

R

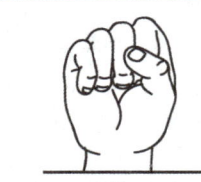

S

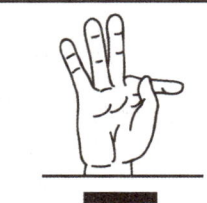

T

U

V

W

X

Y

Z

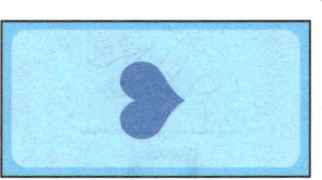

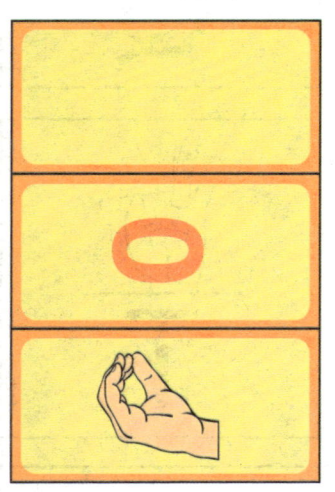

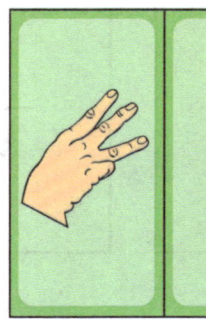

RESPOSTAS NA
PÁGINA 109

RESPOSTAS NA PÁGINA 109

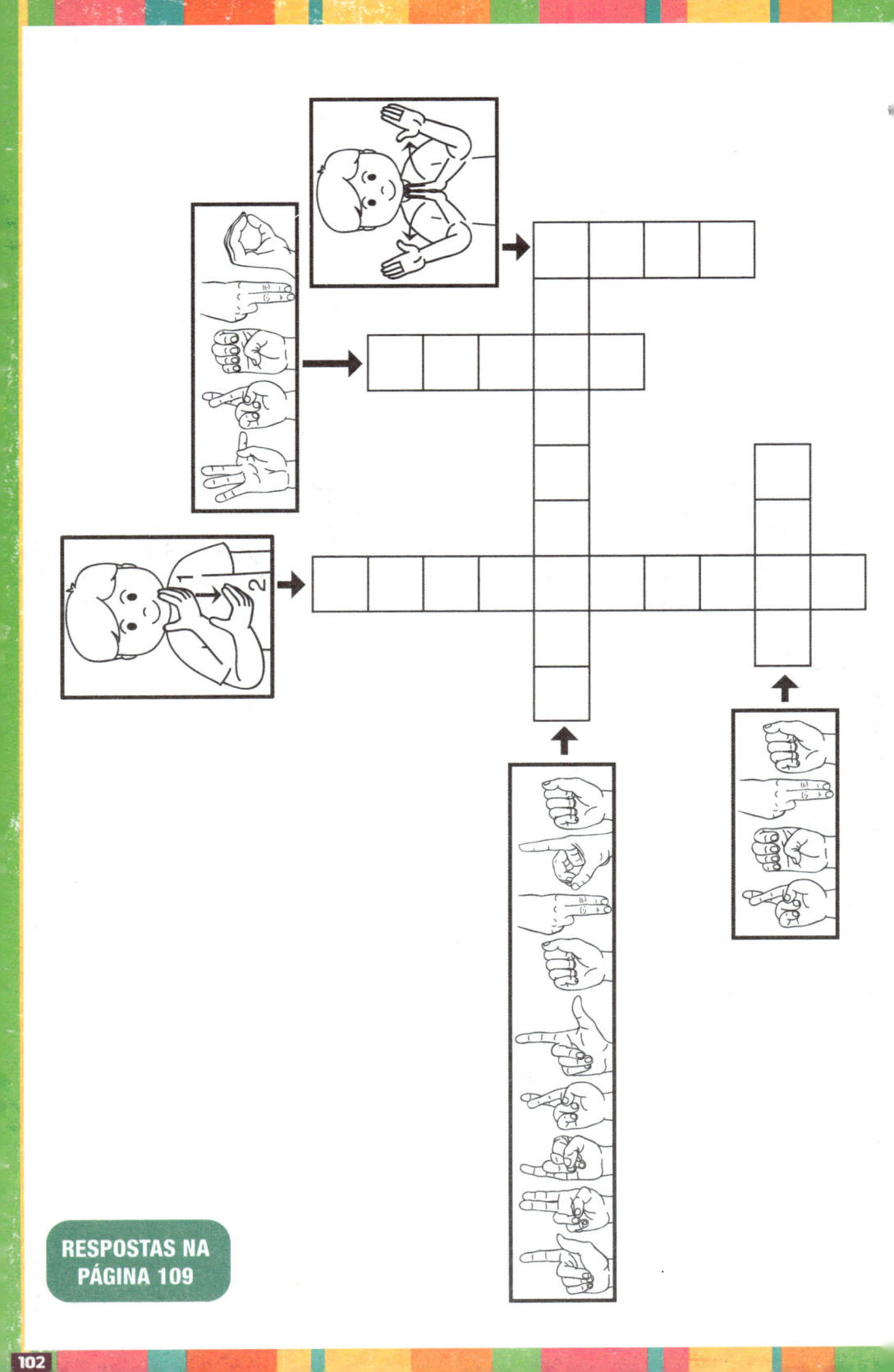

RESPOSTAS NA PÁGINA 109

RESPOSTAS NA PÁGINA 109

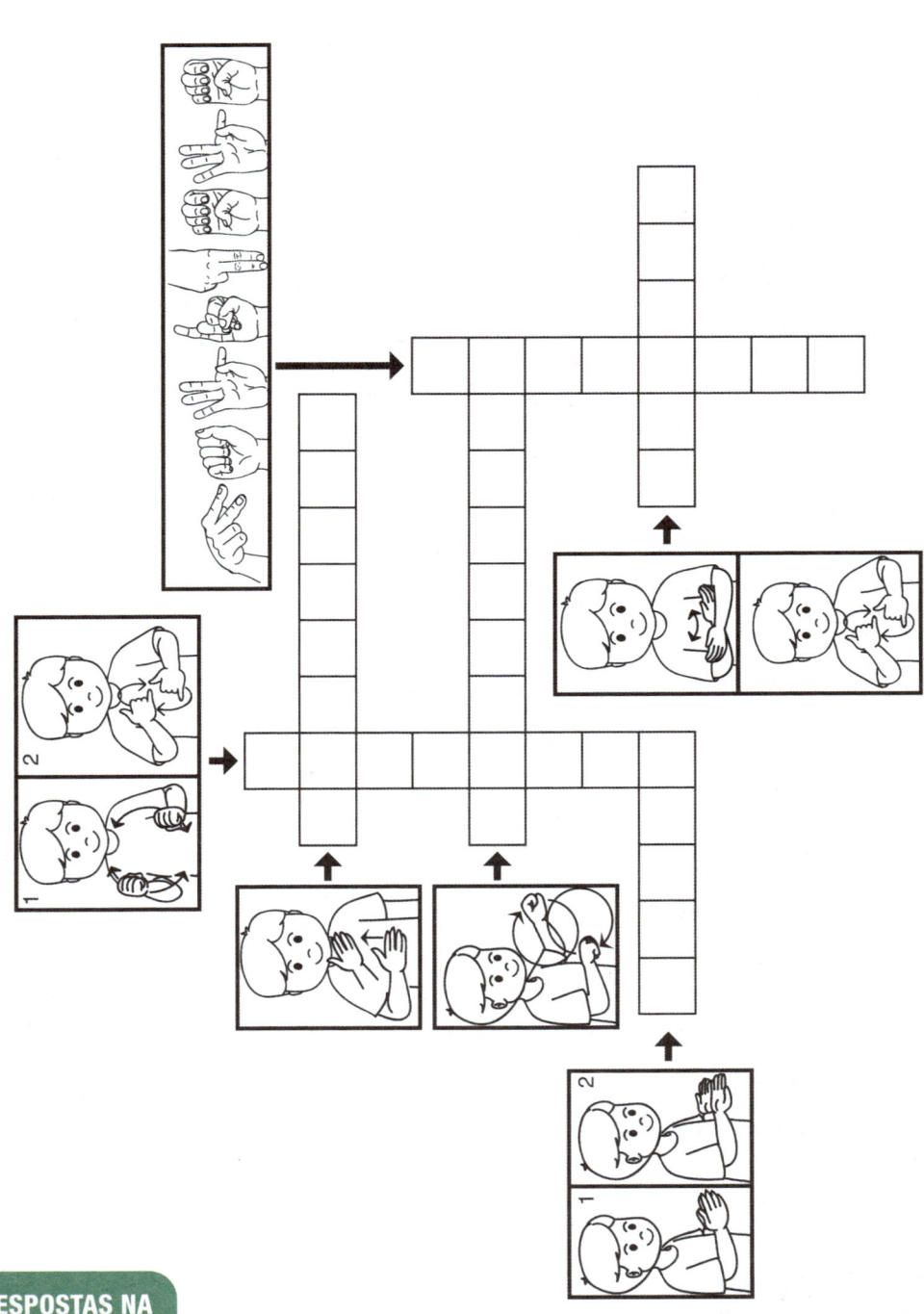

RESPOSTAS NA PÁGINA 109

RESPOSTAS NA PÁGINA 109

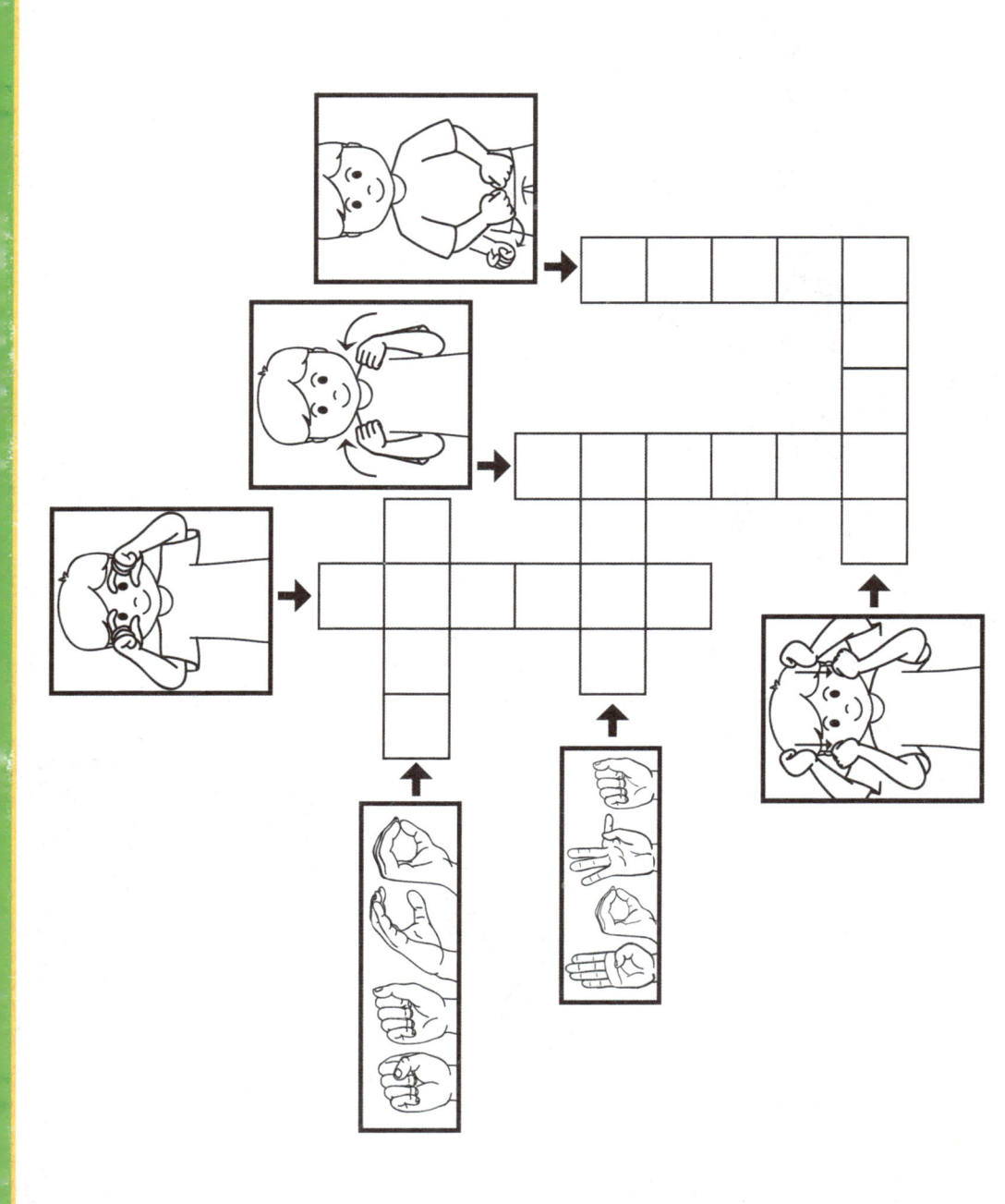

RESPOSTAS NA PÁGINA 109

G	A	B	I	U	C	I	F	E	R	T	O	A	T	R
A	C	I	S	T	B	T	E	L	A	O	E	R	R	E
P	C	E	I	B	E	X	A	G	L	R	I	A	T	C
E	O	F	P	E	R	U	S	A	X	T	N	B	W	T
R	P	N	T	A	R	I	T	A	T	A	L	A	U	B
N	A	G	E	I	C	A	R	E	F	G	O	N	O	V
I	P	A	N	E	T	O	N	E	V	E	G	A	N	É
L	T	I	A	H	I	L	N	N	I	T	C	D	I	G
A	E	R	S	S	E	N	O	A	N	B	R	A	O	G
L	U	M	O	V	I	N	H	O	A	I	L	O	U	I

PERU
PANETONE
RABANADA
PERNIL
TORTA
VINHO

G	A	B	I	U	C	I	F	E	R	T	O	A	T	R
A	C	V	T	Y	A	O	H	I	A	Y	E	R	E	
P	A	P	P	Ê	S	S	E	G	O	R	I	A	T	C
G	M	F	H	E	T	N	S	A	X	B	N	J	W	T
R	E	N	T	A	I	T	A	T	A	L	A	U	B	
Y	I	G	E	I	N	A	N	O	Z	E	S	P	O	V
B	X	N	N	T	H	I	J	E	V	E	G	H	N	Ê
L	A	I	A	H	A	L	N	I	T	C	D	I	U	
A	E	R	S	S	E	N	O	C	A	J	U	L	O	V
L	U	M	O	N	I	G	V	O	A	I	L	O	U	A

UVA
AMEIXA
PÊSSEGO
CASTANHA
CAJU
NOZES

RESPOSTAS NA PÁGINA 109

PÁGINA 105

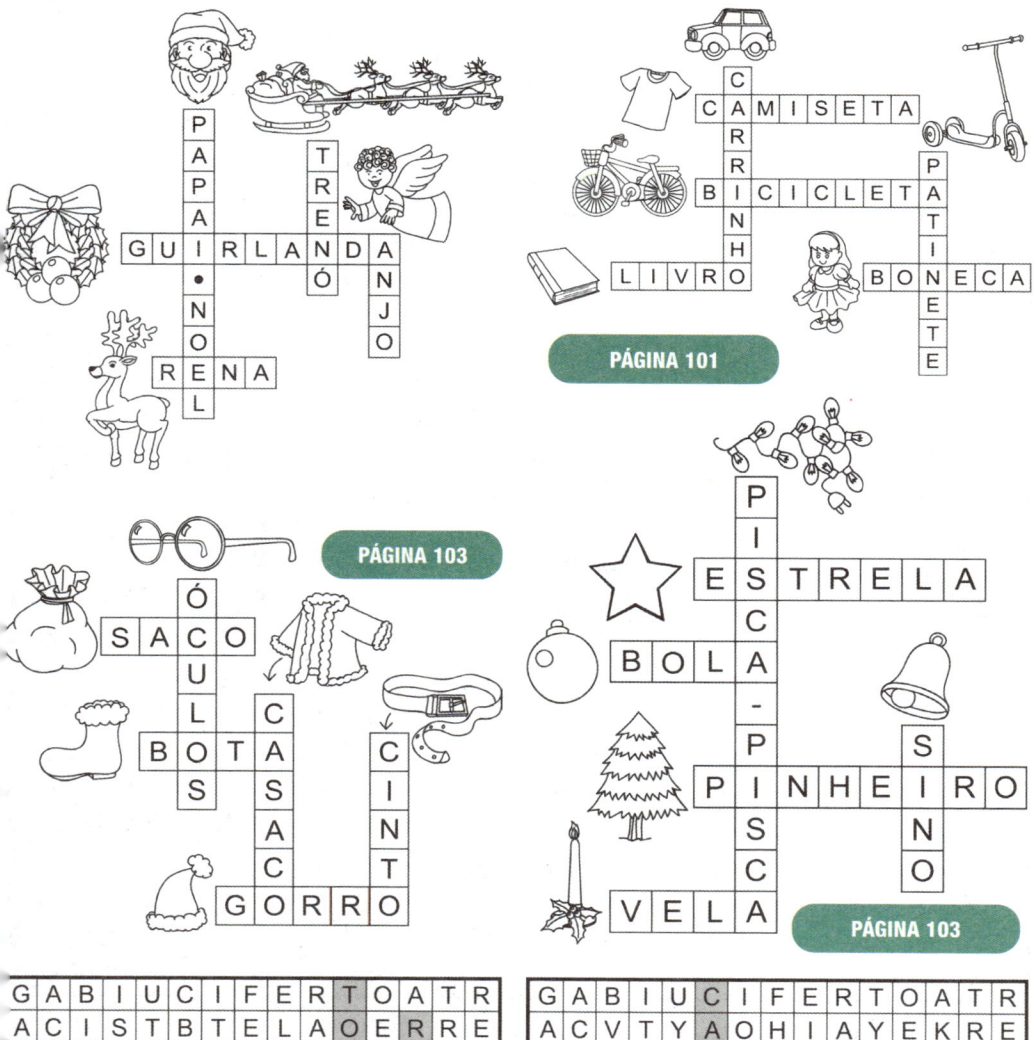

PÁGINA 101

PÁGINA 103

PÁGINA 103

PÁGINA 107

PÁGINA 108

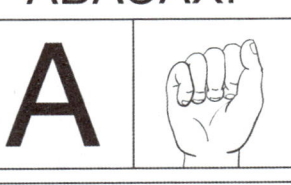

ABACAXI

A

BANANA

B

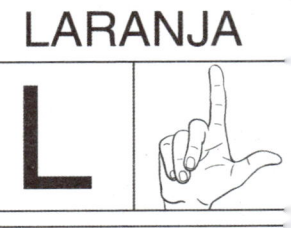

LARANJA

L

MORANGO

M

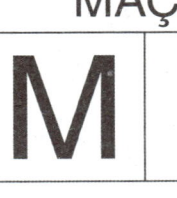

MAÇÃ

M

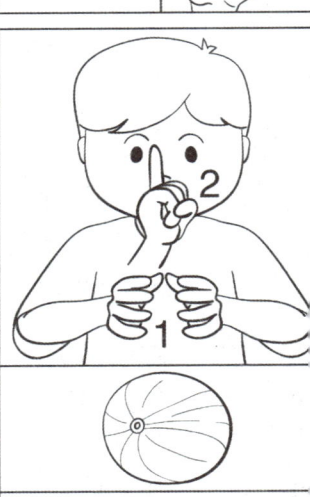

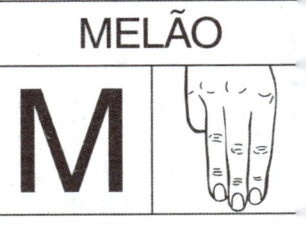

MELÃO

M

MARACUJÁ

M

MAMÃO

M

UVA

U

MELANCIA

M

LIMÃO

L

PERA

ABACAXI

BANANA

CAQUI

GOIABA

LARANJA

UVA

		LIMÃO	
		MAÇÃ	
		MAMÃO	
		MELANCIA	

MORANGO

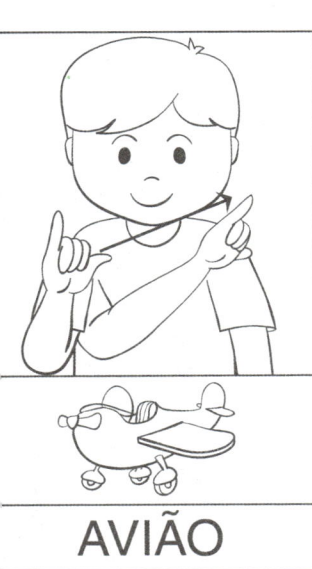

 A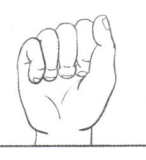

AVIÃO

BARCO

B

BICICLETA

B

	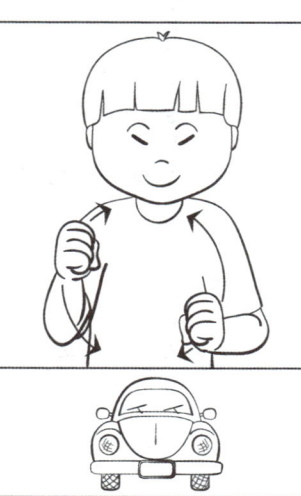	

CAMINHÃO	CARRO	COMPUTADOR
C 	C 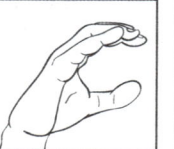	C 

TELEVISÃO	JORNAL	REVISTA
T 	J 	R 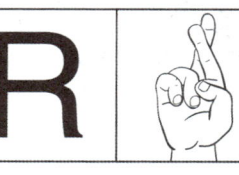

RÁDIO

R

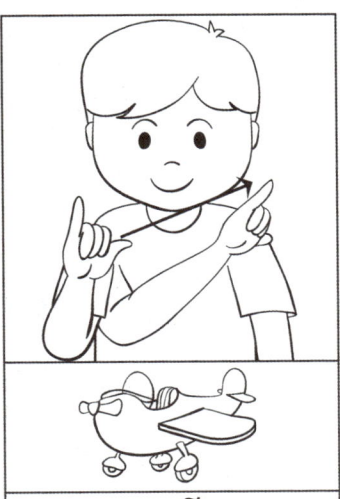

AVIÃO

A

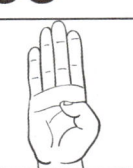

BARCO

B

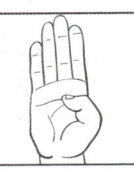

BICICLETA

B

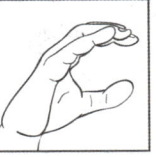

CAMINHÃO

C

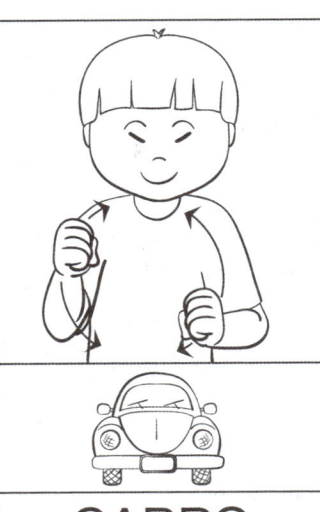

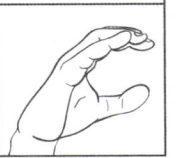

CARRO

C

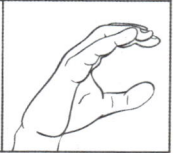

COMPUTADOR

C

ÔNIBUS

O

TELEFONE

T

TELEVISÃO

T

RÁDIO

R

REVISTA

R

JORNAL

J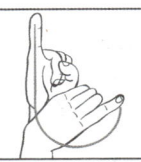

ÔNIBUS

O

TELEFONE

T

CARTAS DO PROJETO "ELEFANTE COLORIDO, 1,2,3!", DA PÁGINA 31

AMARELO

A

AZUL

A

2 Repita o movimento

BRANCO

B

119

CINZA

C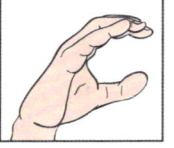

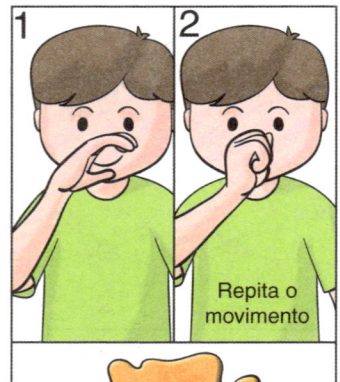

Repita o movimento

LARANJA

L

MARROM

M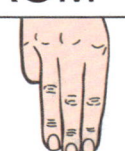

PRETO

P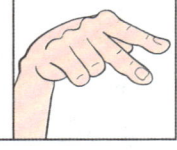

ROSA

R

ROXO

R

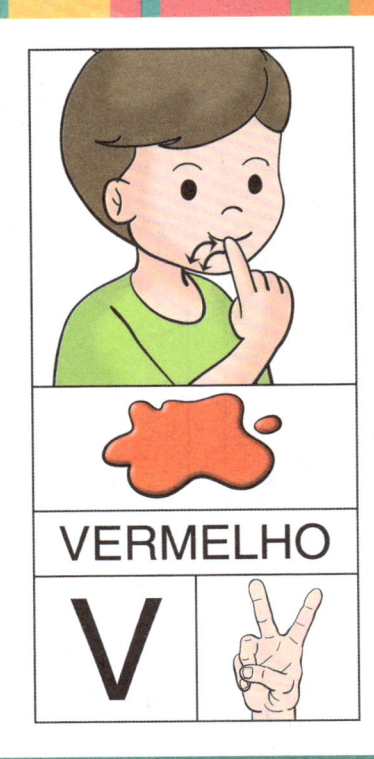

VERMELHO

V

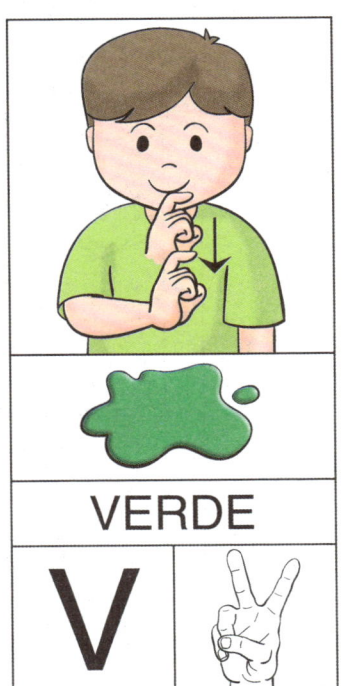

VERDE

V

BRASIL

B

BRASIL

B

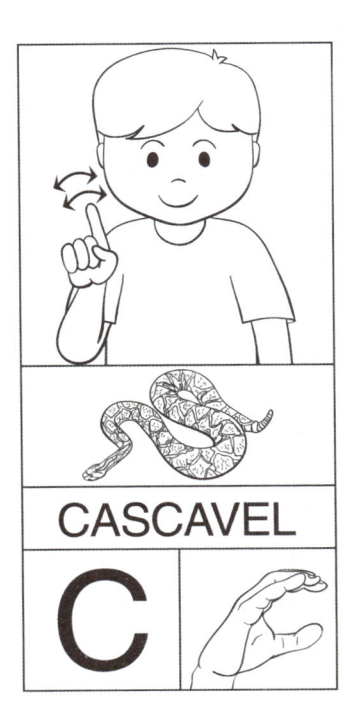

CASCAVEL

C

CASCAVEL

C

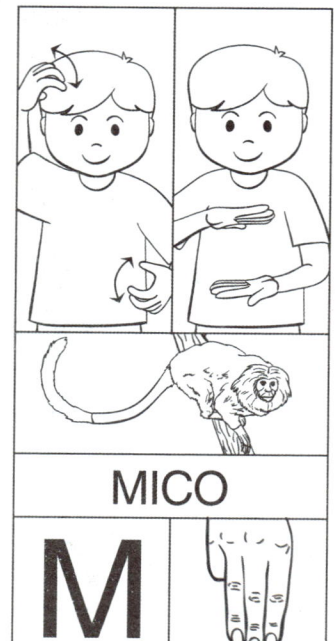

MICO

M

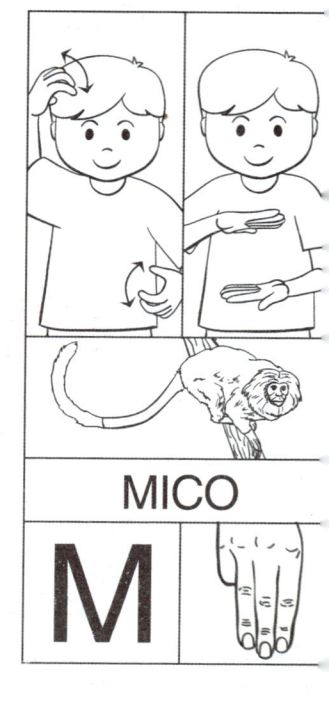

MICO

M

PAPAGAIO

P

PAPAGAIO

P

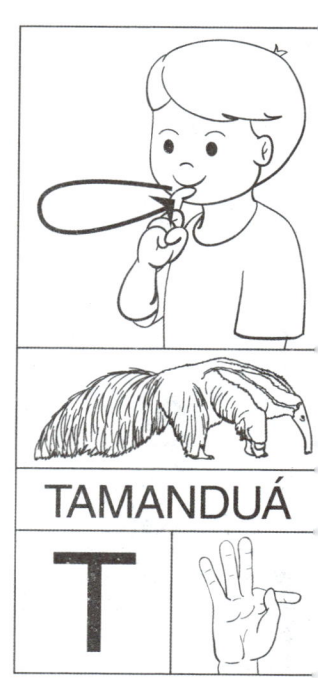

TAMANDUÁ

T

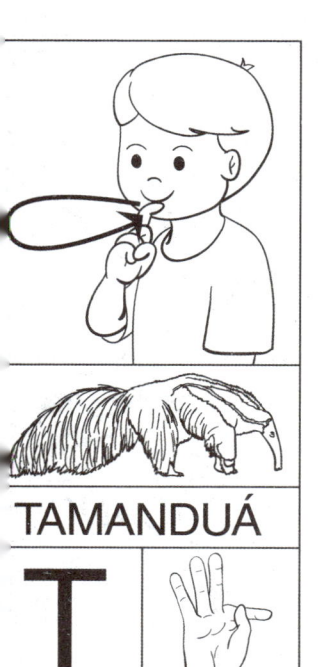

TAMANDUÁ

T

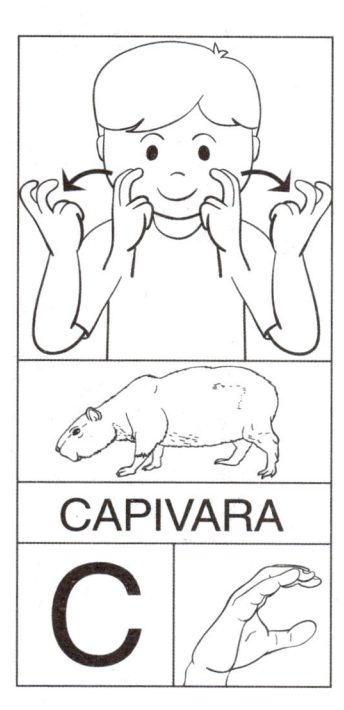

CAPIVARA

C

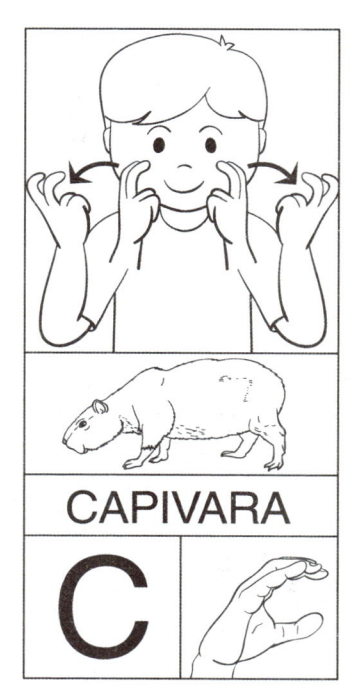

CAPIVARA

C

JACARÉ

J

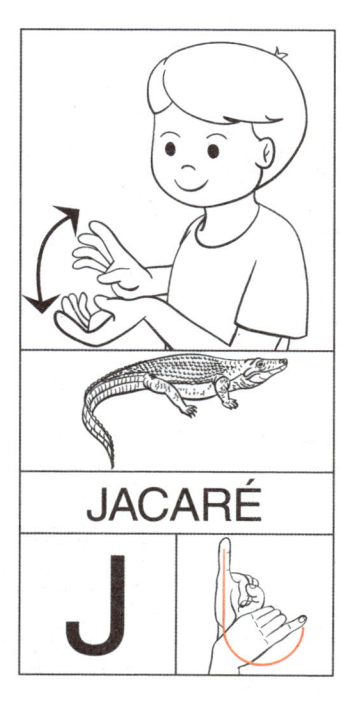

JACARÉ

J

ONÇA

O

ONÇA

O

TUCANO

T

TUCANO

T

ÁFRICA

A

ÁFRICA

A

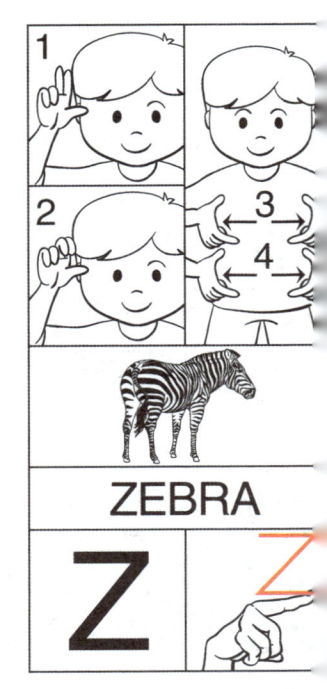

ZEBRA

Z

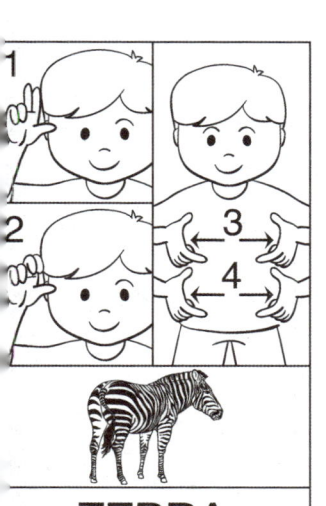

ZEBRA

Z

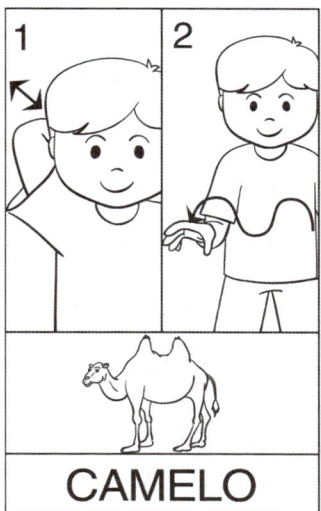

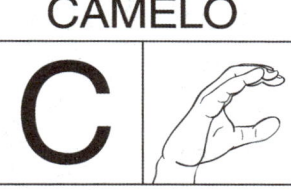

CAMELO

C

CAMELO

C

CHIMPANZÉ

C

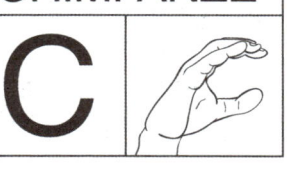

CHIMPANZÉ

C

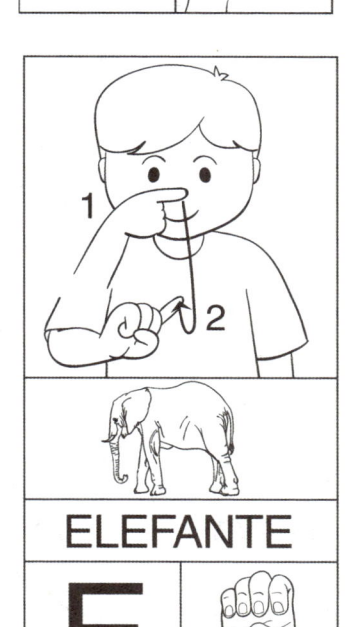

ELEFANTE

E

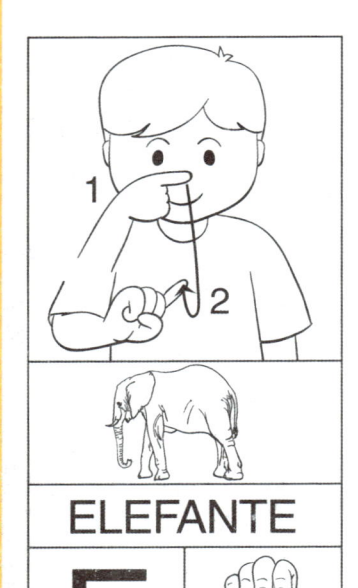

ELEFANTE

E

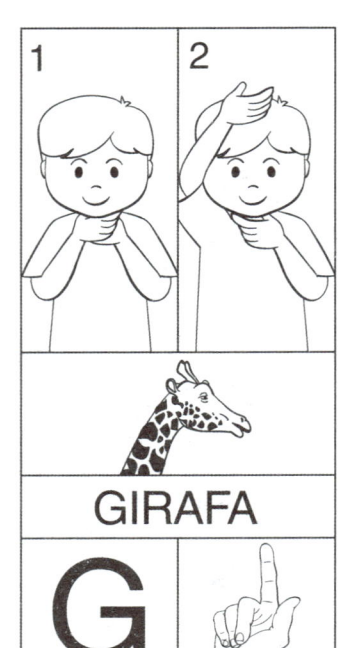

GIRAFA

G

GIRAFA

G

HIPOPÓTAMO

H

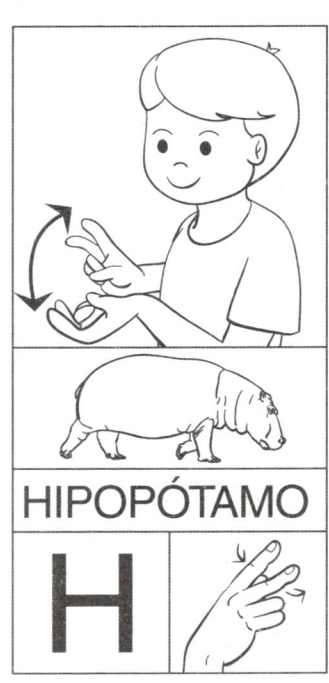

HIPOPÓTAMO

H

LEÃO

L

LEÃO

L

RINOCERONTE

R

RINOCERONTE

R

CARTAS DO PROJETO "MINHA ORIGEM", DA PÁGINA 33

ALEMANHA

A

ESPANHA

E

ITÁLIA

I

ARGENTINA

A

BOLÍVIA

B

CHINA

C

JAPÃO

J

PORTUGAL

P

ARÁBIA SAUDIT

A

HOLANDA	ISRAEL	UGANDA

GARGALHADA

RAIVA
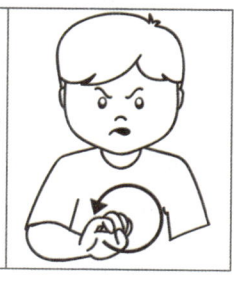

DÚVIDA
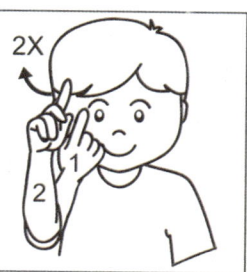

CHORO

TRISTEZA

ALEGRIA

CANSEIRA

VERGONHA

SUSTO

SURPRESA

 M

 N

 O

 P

 Q

 R

BOA NOITE! **BOA NOITE!**

OI! **TUDO BEM?**

BOA TARDE!   **TCHAU!**

BOM DIA!   **VAMOS BRINCAR?**

OI

O

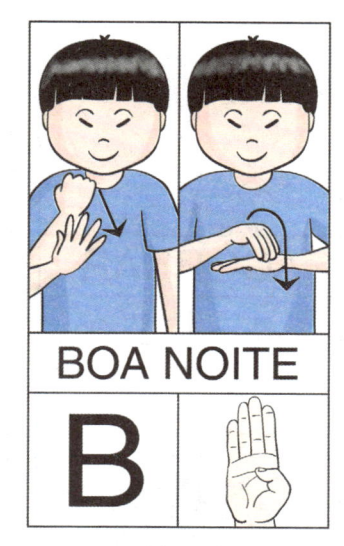

BOA NOITE

B

BOA TARDE

B

BOM DIA

B

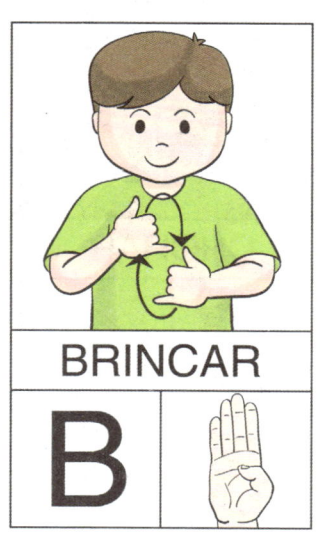

BRINCAR

B

RIR

R

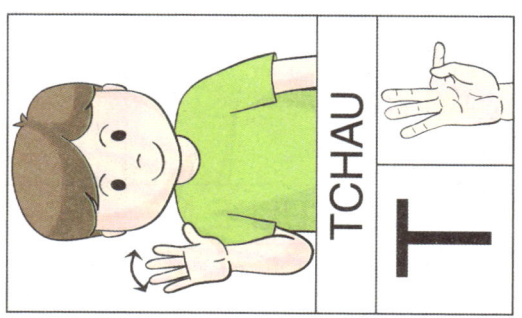

TCHAU

T

COM LICENÇA

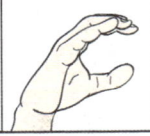

C

ACORDAR

A

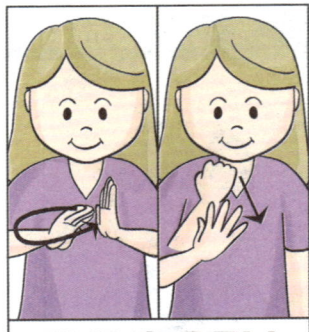

TUDO BEM

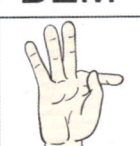

T

DORMIR

D

CHORAR

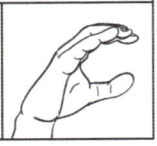

C

POR FAVOR

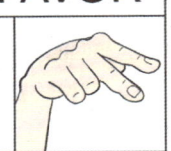

P

ESTUDAR

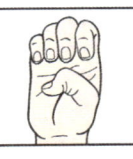

E

DESCULPE-ME

D

ÁGUA

A

ERA UMA VEZ, UMA BELA MENINA CHAMADA CHAPEUZINHO VERMELHO.

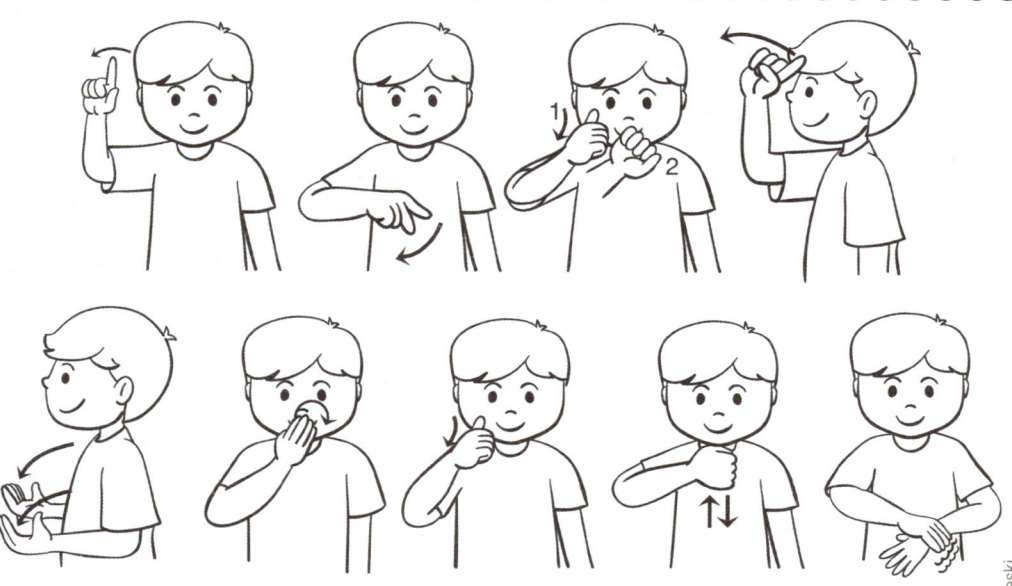

UM DIA, SUA MAMÃE MANDOU ENTREGAR
DOCES PARA A VOVÓ, QUE ESTAVA ENFERMA.

Izildinha H. Micheski

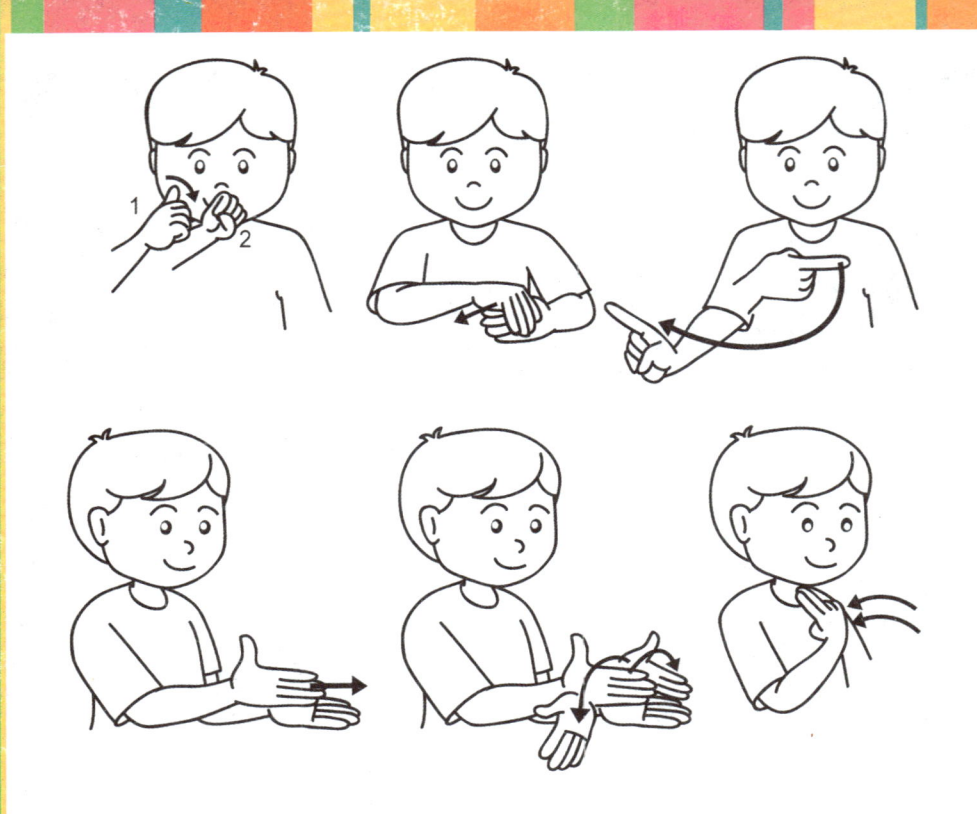

A MAMÃE ACONSELHOU QUE FOSSE DIRETO E SEM SE DESVIAR DO CAMINHO.

MAS CHAPEUZINHO VERMELHO PAROU PARA COLHER ALGUMAS
FLORES COLORIDAS PORQUE SABIA QUE A VOVÓ FICARIA MUITO
FELIZ POR RECEBÊ-LAS.

COMEÇOU A ANDAR TODA CONTENTE. QUANDO VIU OS PÁSSAROS, O ESQUILO, O JABUTI, AS BORBOLETAS, O COELHO, AS ABELHAS E OUTROS BICHINHOS, PAROU PARA BRINCAR.

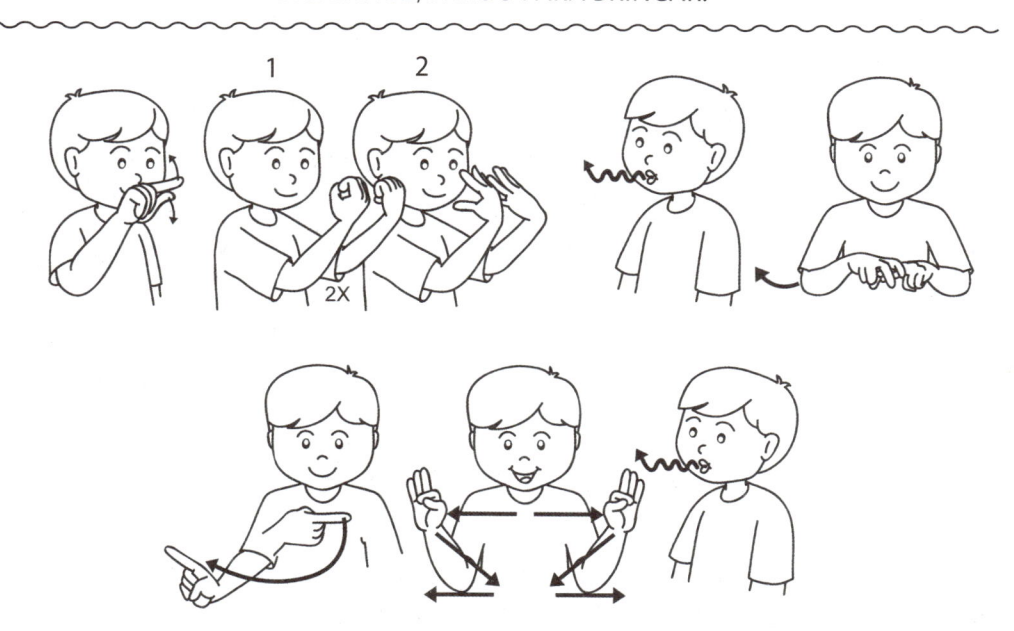

RENDEU A ASSOBIAR COM PÁSSAROS E FOI-SE EMBORA ASSOBIANDO, TODA FELIZ.

DE REPENTE, O LOBO MAU APARECEU
E PERGUNTOU PARA ONDE IA CHAPEUZINHO VERMELHO.

A MENINA RESPONDEU QUE NÃO PODIA CONVERSAR
PORQUE PRECISAVA CHEGAR RÁPIDO À CASA DA VOVÓ.

ENTÃO, O LOBO CORREU E CONSEGUIU ENTRAR PRIMEIRO NA CASA DA VOVÓ.

ABRIU A PORTA E, RAPIDAMENTE, ENGOLIU A VOVÓ.

DEPOIS, O LOBO MAU VESTIU-SE COM AS
ROUPAS DA VOVÓ E DEITOU-SE NA CAMA.

QUANDO CHAPEUZINHO VERMELHO ABRIU A PORTA,
PERCEBEU OS OLHOS GRANDES, A BOCA GRANDE E AS
ORELHAS GRANDES E ENTENDEU A TRAIÇÃO DO LOBO.

CHAPEUZINHO VERMELHO COMEÇOU A GRITAR SEM PARAR,
ATÉ QUE UM CAÇADOR OUVIU E SOCORREU A VOVÓ E A NETA.

ELE TIROU A VOVÓ DA BARRIGA DO LOBO E ENCHEU A BARRIGA DELE
DE PEDRAS. O LOBO FICOU MUITO PESADO, MAS FUGIU PARA A FLORESTA.

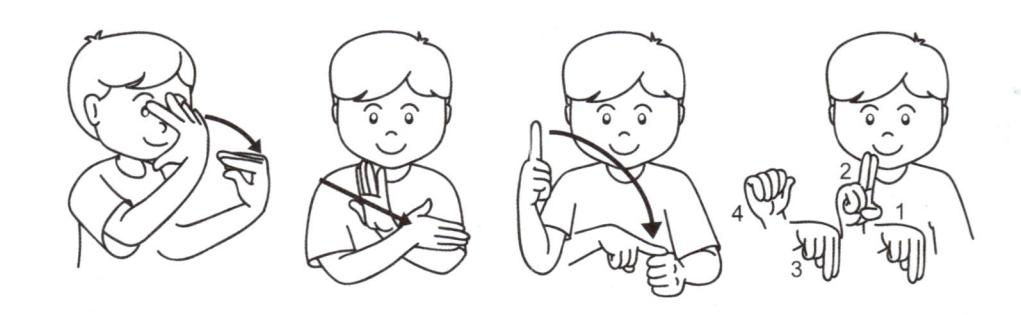

O LOBO MAU FUGIU E NUNCA MAIS VOLTOU.

A VOVÓ AGRADECEU AO CAÇADOR PELA AJUDA QUE TIVERAM
E TODOS VIVERAM TRANQUILOS E FELIZES PARA SEMPRE.

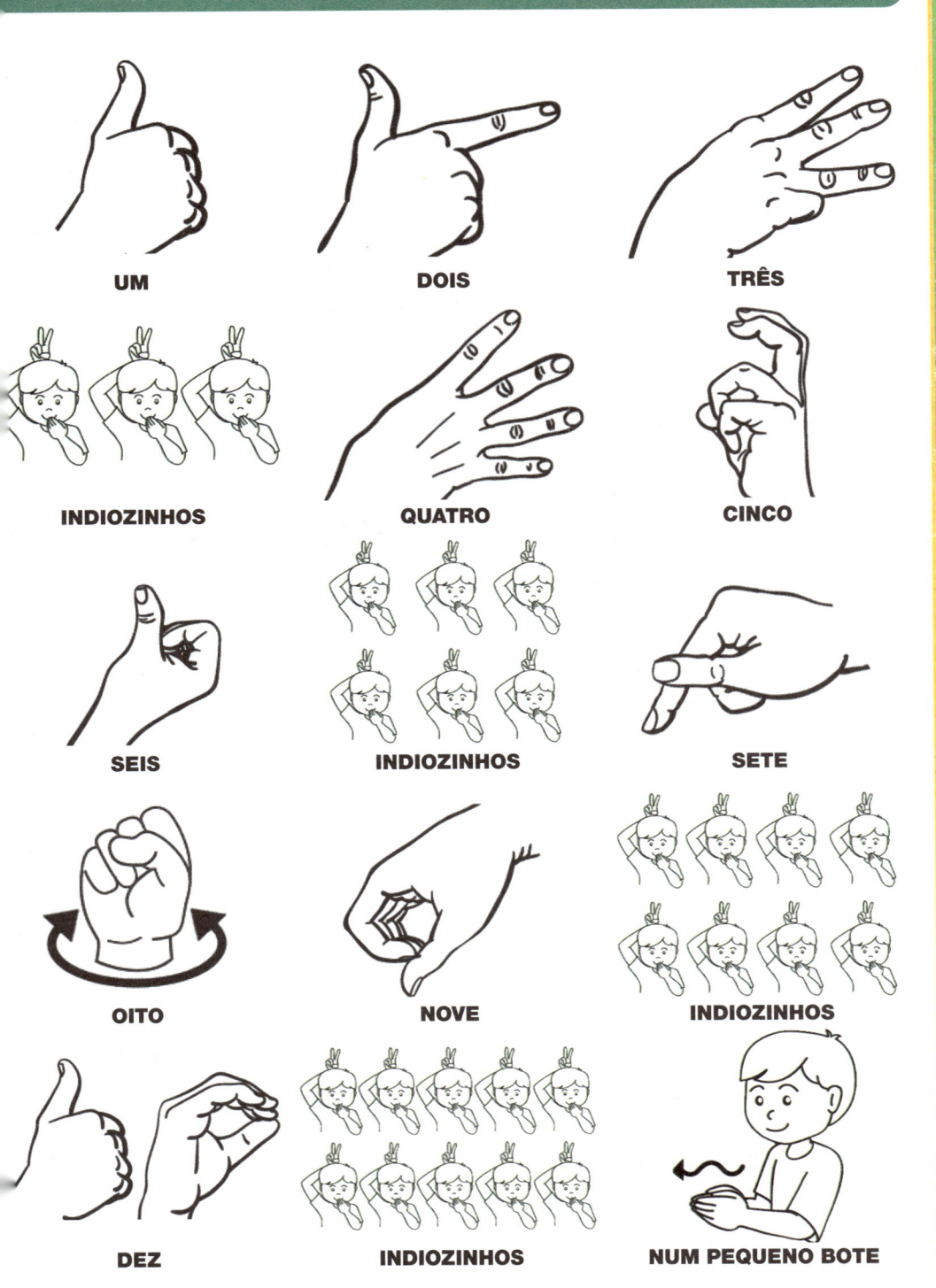

UM

DOIS

TRÊS

INDIOZINHOS

QUATRO

CINCO

SEIS

INDIOZINHOS

SETE

OITO

NOVE

INDIOZINHOS

DEZ

INDIOZINHOS

NUM PEQUENO BOTE

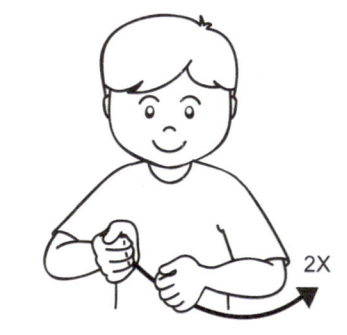

VINHAM NAVEGANDO

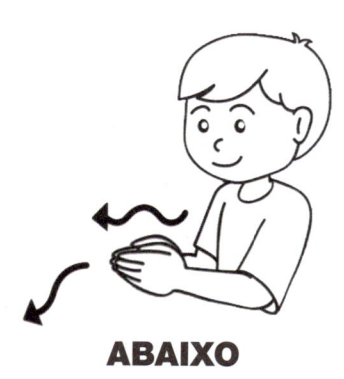

ABAIXO

PELO RIO

QUANDO UM JACARÉ

SE APROXIMOU

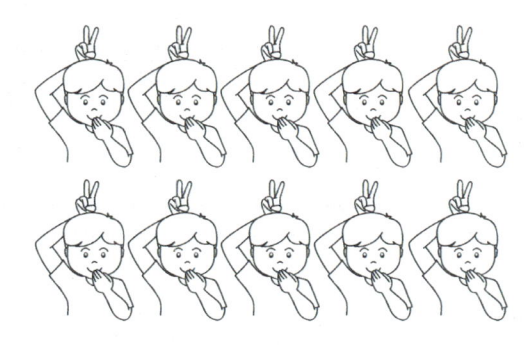

E O PEQUENO BOTE

DOS INDIOZINHOS

QUASE VIROU

MAS

NÃO

VIROU

1	2	3	4	5	6	7

8	9	10	11	12	13

JAGUATIRICA

PAPAGAIO-VERDADEIRO

TATU

GUARÁ

JACARÉ

TUIUIÚ

CIRCO C

BAILARINA B

PIPOCA P

PIPOCA P

PALHAÇO P

TRAPEZISTA T

TRAPEZISTA T

PALHAÇO P

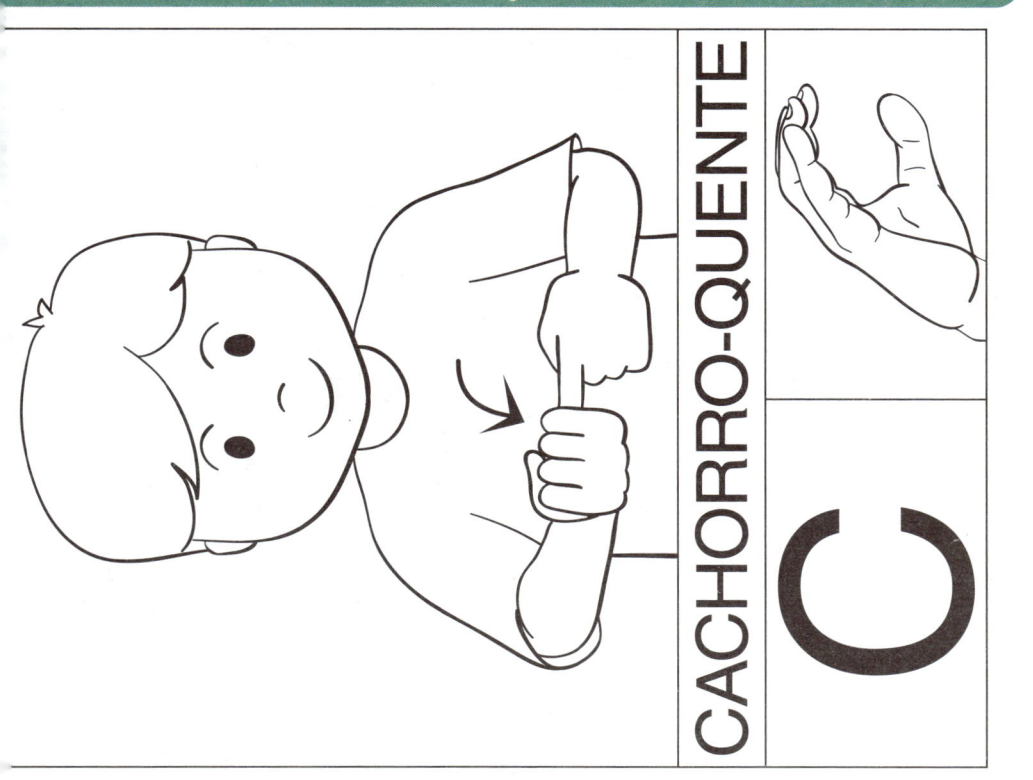

159

PESCARIA

P

PIPOCA

P

CONFIRA NOSSOS
LANÇAMENTOS AQUI!

Camelot
EDITORA

CamelotEditora